Nous exprimons nos sincères remerciements à :
M. Roy LANCASTER, de Hillier and Son
Nurseries, Romsey, Hampshire, Angleterre,
et M. Pierre CUISANCE, Professeur à
l'École Nationale Supérieure d'Horticulture
de Versailles, le premier pour avoir conçu les
textes en anglais, le second pour les avoir
adaptés pour l'édition française de ce livre,
l'un et l'autre avec beaucoup de compétence
technique et un vif intérêt pour le sujet traité.
Nous remercions également M. Adrian
BLOOM, M. H.G. HILLIER, plusieurs
personnes des Pépinières HILLIER, en
particulier M. Hatton GARDNER et
DESMOND Evans, et enfin M. WARREN,
photographe dont la patience et l'habileté
ont magnifié les illustrations de cet ouvrage.

Nous remercions enfin tous ceux qui nous ont
donné l'autorisation et la possibilité de
prendre toutes ces photographies :

FRANCE
Pépinières Derly - Les Thilliers-en-Vexin (27)
Pépinières Pinguet - Tours (37)
Jardin des Plantes de la Ville de Nantes (44)
Parc de la Source - Orléans (45)

ANGLETERRE
Bressingham Gardens, Norfolk
(Mr. Alan Bloom)
Earles Mede, Ampfield, Romsey
Exbury Gardens, Hampshire.
Falkland Palace, Fife.
Green Farm, Mendlesham, Suffolk.
Harlow Carr Gardens, Harrogate.
Jermyns Garden & Arboretum, Romsey,
Hampshire (Mr. H.G. Hillier)
Little Park, Flowton, Suffolk.
Longstock Park Gardens, Stockbridge, Hants.
Royal Botanical Gardens, Edinburgh.
Royal Botanical Gardens, Kew.
Royal Horticultural Society, Wisley, Surrey.
Savill & Valley Gardens, Windsor Great Park.
Sheffield Park, Sussex.
Talbot Manor, Fincham, Norfolk.
University Botanic Garden, Cambridge.
Westonbirt Arboretum, Gloucestershire.

Page précédente :
Arbres d'ornement et conifères, dans leur splendide livrée automnale, à Sheffield Park, Sussex, Angleterre.

LES ARBRES
de nos jardins

par Roy Lancaster

Adapté par P. CUISANCE, Professeur E.N.S.H.

LIBRAIRIE LAROUSSE
17, rue du Montparnasse
75006 PARIS

EDITIONS FLORAISSE
Z.I. - Avenue Léon-Harmel
92160 ANTONY

*Roy Lancaster est certainement l'une des
personnes les plus qualifiées pour vous servir
de guide dans le monde merveilleux des Arbres.
Son enthousiasme, ses connaissances et son
amour des plantes sont évidents : le lecteur
aura tôt fait de s'en rendre compte.
Roy Lancaster, conservateur de l'Arboretum
des pépinières Hillier de Winchester, est très
connu en Angleterre dans le milieu horticole
et même parmi les amateurs de jardinage.
En effet, conseiller technique au Gardeners
Chronicle, il écrit également des articles dans
de nombreuses revues traitant de
l'horticulture.
Sa participation à l'ouvrage " Manual of
trees and shrubs " lui a valu d'être le plus
jeune à recevoir la Médaille d'or " Veitch
Memorial " de la Société Royale
d'Horticulture. En outre, Roy Lancaster a
participé à de nombreuses expéditions, en
particulier au Népal et dans l'Himalaya.
Sa réputation est ainsi rapidement devenue
internationale, et ce livre ne fera que le
confirmer.*

© EDITIONS FLORAISSE ANTONY · 1974

ISBN 2 9 0006904 1   FLORAISSE
ISBN 2 03 074704 1   LAROUSSE

L'importance des arbres

Les arbres sont, sans aucun doute, les représentants les plus prestigieux et les plus attrayants de la flore de nos jardins. Que ce soit pour leurs fleurs, leurs fruits, leur feuillage ou pour l'ombrage qu'ils procurent, les arbres tiennent la première place parmi les végétaux d'ornement. Quelle que soit la taille d'un jardin, vaste ou exiguë, quel que soit l'éclat de ses parterres fleuris, la présence d'un ou de plusieurs arbres est indispensable à sa vie et à l'équilibre de sa composition.

Certains arbres ajoutent à leur charme l'attrait du bruissement du vent dans leur feuillage et dans leur frondaison: murmure harmonieux des feuilles du peuplier sous l'action de la brise ou gémissement de la ramure du hêtre par grand vent. On ne saurait non plus oublier l'activité saisonnière des arbres de nos régions, leur cycle vital, qui commence au printemps par le gonflement, l'éclatement de leurs bourgeons, l'étalement de leurs feuilles, qui se poursuit par leur floraison et leur fructification, pour se terminer à l'automne par la coloration générale des feuilles et leur chute.

Chaque fois que je vois un vieux chêne ou un marronnier, je me rappelle les jours heureux de mon enfance où, comme tous les gamins, je grimpais dans les branches d'un grand arbre afin de connaître le sentiment enivrant d'indépendance qui vous saisit lorsqu'on est assis sur une fourche, les jambes pendantes, en observant le va-et-vient des gens et des êtres qui s'affairent sous vos pieds.

En se tournant vers l'aspect pratique des arbres, on ne saurait non plus trop insister sur la nécessité de leur présence autour de l'homme pour sa survie et sa santé. Les arbres des parcs, des jardins et des avenues sont considérés comme les poumons des cités et des villes.

C'est un fait que, durant le jour, les feuilles rejettent de l'oxygène pendant qu'elles absorbent le gaz carbonique contenu dans l'air. Les arbres constituent aussi un écran nous protégeant des bruits excessifs qui peuvent nous déranger, troubler notre repos, notre tranquillité ou nos divertissements. Ils filtrent et atténuent les vents violents, leur feuillage retient les poussières et leurs racines consolident le sol, prévenant ainsi l'érosion.

L'insalubrité de certains établissements industriels peut avoir un effet néfaste sur notre santé par le bruit, la poussière, les fumées, la circulation intense des véhicules; ici encore, les arbres jouent un rôle éminent en s'opposant efficacement à ce danger.

L'importance économique des arbres est trop connue pour qu'il soit nécessaire d'y insister; seuls les bambous ont des emplois presque aussi variés. Cependant, en dehors de leur utilité et après des siècles d'exploitation, on reconnaît l'intérêt des surfaces boisées pour la récréation et la détente et on encourage leur développement dans ce but.

Un des aspects des arbres, peu connu et insuffisamment apprécié, consiste dans la faune et dans la flore qu'ils abritent; chaque arbre constitue un monde peuplé d'oiseaux, d'insectes, de mousses et de lichens pour n'en citer que quelques-uns. Plus l'arbre est âgé, plus vaste et plus varié est le monde vivant qu'il supporte. Contrairement à l'opinion courante, les insectes trouvés sur ou autour de l'arbre ne sont pas nécessairement nuisibles à sa santé; comme dans beaucoup d'associations d'êtres vivants, seule une faible minorité d'organismes lui nuisent.

1

Comment se développent les arbres

Il convient de rappeler quelques éléments simples, mais essentiels, pour bien comprendre les besoins des arbres et les conditions du succès de leur culture. L'arbre comprend quatre principales parties: les racines, le tronc, les branches et les feuilles.

RACINES

Les racines de l'arbre remplissent deux fonctions essentielles, sa fixation au sol et son alimentation en eau et en éléments minéraux; les racines les plus fines possèdent au voisinage de leur extrémité un manchon de cellules fines et allongées, les poils absorbants, qui leur permettent de puiser dans le sol l'eau chargée de sels minéraux en dissolution qu'il contient. Ceci explique pourquoi les arbres qui sont transplantés avec des racines bien ramifiées ou «chevelu» ont les meilleures chances de succès et que ceux dont les racines ont été fortement endommagées reprennent difficilement. Quelques arbres ont naturellement de grosses racines peu ramifiées, ils demandent des soins spéciaux et gagnent à être plantés en jeunes sujets.

TRONC

La tige principale ou tronc supporte les branches et, par les vaisseaux de ses tissus, permet la circulation de la sève entre celles-ci et les racines; la plus grande partie du tronc ou cœur est formée de tissus morts qui ont surtout un rôle de support; les tissus vivants, dans lesquels circule la sève, se trouvent immédiatement sous l'écorce qui les protège à la fois du froid et de la chaleur excessives. On comprend aisément pourquoi l'écorçage ou les blessures causées à l'écorce d'un arbre peuvent produire de graves dommages et même occasionner sa mort.

BRANCHES

Les branches sont le prolongement et l'extension du tronc, elles sont généralement disposées de façon que les feuilles aient une chance équivalente de capter la lumière. Leur structure est semblable à celle du tronc. Il convient de supprimer les branches mortes ou dépérissantes qui apparaissent dans la cime des arbres; si on néglige de le faire, des maladies peuvent se développer qui menacent la santé de ces arbres et même leur vie.

FEUILLES

Les feuilles sont souvent considérées comme l'«usine» de l'arbre; elles reçoivent l'eau contenant des sels minéraux en provenance des racines et, sous l'influence de la lumière, énergie essentielle pour leur croissance, elles produisent les substances organiques qui sont ensuite transportées dans tous les organes de l'arbre. Pour cela, le gaz carbonique est absorbé par les feuilles qui rejettent en même temps l'oxygène dans l'atmosphère; l'eau en excès est également dispersée par les stomates, pores minuscules situés principalement à la face inférieure des feuilles. Si l'on ne perd pas de vue ces faits, il est aisé de comprendre pourquoi les arbres ont besoin d'être plantés là où leurs feuilles peuvent recevoir suffisamment de lumière. Certains arbres d'ornement, rares d'ailleurs, préfèrent l'ombre, d'autres la supportent mieux que la plupart d'entre eux.
On peut mentionner que les fleurs présentent seulement de l'intérêt pour la production des graines; leur forme, leurs couleurs variées et leur parfum sont purement destinés à attirer les insectes, elles offrent cependant un attrait de premier ordre pour les amateurs.

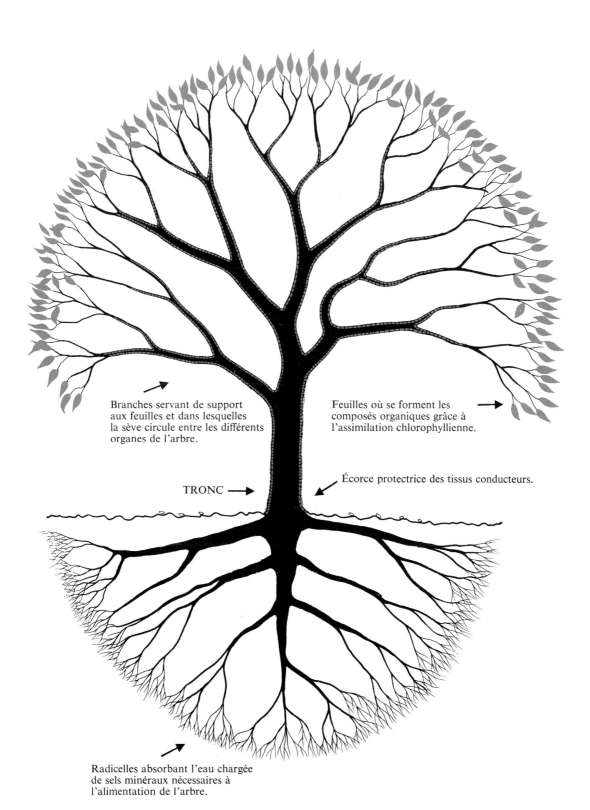

Branches servant de support
aux feuilles et dans lesquelles
la sève circule entre les différents
organes de l'arbre.

Feuilles où se forment les
composés organiques grâce à
l'assimilation chlorophyllienne.

Écorce protectrice des tissus conducteurs.

TRONC ➤

Radicelles absorbant l'eau chargée
de sels minéraux nécessaires à
l'alimentation de l'arbre.

Jeunes arbres en pépinière

Sujets en cours d'élevage, en été

La production des arbres

La plupart de ceux qui plantent des arbres les achètent en pépinière où les pépiniéristes emploient diverses techniques qui sont décrites dans les lignes suivantes: les procédés relativement simples tels que le semis et le bouturage sont faciles à pratiquer par un amateur, mais à une échelle plus modeste que chez les professionnels.

Le pépiniériste élève des arbres selon diverses méthodes, choisies d'après la nature des arbres, et selon leurs possibilités de vente. Les arbres très demandés ont besoin d'être produits aussi rapidement et aussi économiquement que possible. Cela ne veut pas dire qu'il faille sacrifier la qualité à la quantité; au contraire, l'adresse du spécialiste et son expérience, souvent enrichie depuis plusieurs générations, le rendent capable de multiplier et d'élever assez aisément un grand choix d'arbres rustiques. Cependant, il existe des arbres difficiles à propager: leur élevage est nécessairement une opération lente et coûteuse.

Arbres cultivés en containers

SEMIS

Le semis est le mode de propagation le plus aisé, le plus satisfaisant et pour quelques arbres, comme les *Eucalyptus,* le seul utilisable. En règle générale, les graines fraîches donnent les résultats les meilleurs; le semis effectué aussitôt après la récolte des graines convient aux ormes, aux érables, aux saules et aux peupliers. Les fruits doivent être collectés à maturité, soit juste avant leur chute naturelle, soit sous les arbres, sur le sol préalablement nettoyé pour que leur ramassage ne présente pas de difficultés; certains fruits charnus, comme ceux des *Sorbus,* sont protégés contre la voracité des oiseaux avant le début de la maturité.

Les grosses graines, telles que celles des chênes, des érables, des marronniers ou des hêtres, sont semées en planches, soit à la volée ou mieux en lignes, dans des sillons peu profonds, ouverts à l'aide du bord de la houe. En règle générale, les graines doivent être enterrées à une profondeur égale à trois fois leur diamètre environ, soit 6 à 8 cm pour les glands et 2 cm environ pour les faines et les graines d'érables. Les graines très fines, comme celles d'*Eucalyptus,* demandent à être semées superficiellement, à 3 ou 4 mm de profondeur seulement.

Lors de la levée, les jeunes plants peuvent être éclaircis ou laissés en place pour être repiqués plus tard.

Les graines de fruits charnus tels que ceux de *Crataegus, Davidia, Ilex, Sorbus* et *Prunus* réussissent mieux si on les stratifie d'abord; elles sont alors mélangées avec du sable humide additionné d'un peu de tourbe (dans la proportion de quatre parties pour une) et placées dans un pot, une caisse ou quelque autre container qui est enterré dans du sable, en plein air, de préférence au pied d'un mur à l'exposition du nord.

Semis d'arbres en pots

La germination des graines stratifiées se produit le second printemps bien que certaines d'entre elles germent au cours du premier printemps *(Sorbus)* et d'autres plusieurs années plus tard *(Ilex)*.

Lorsque les graines d'un arbre rare sont disponibles en petite quantité, il vaut mieux les semer dans un compost bien préparé, en pots qui sont alors placés sous châssis jusqu'au moment de la germination; les grosses graines, glands ou marrons, sont semées individuellement en godets. On doit protéger les graines semées en plein air contre les dégâts des rongeurs et des oiseaux et les jeunes plants contre ceux des mollusques; qu'elles aient été semées dans des plates-bandes préparées à cet effet ou dans des pots, les plants auxquels elles donnent naissance demandent à être éclaircis ou repiqués en temps opportun.

Dans plusieurs pépinières modernes, on utilise des chambres froides pour lever la dormance des semences et des spécialités ou substances chimiques pour favoriser et rendre plus rapide la germination des graines délicates. Diverses machines sont en outre employées pour nettoyer et pour semer les graines.

MULTIPLICATION VÉGÉTATIVE

Les arbres cultivés ne produisent pas tous des fruits; quelques-uns en donnent qui ne contiennent pas de bonnes graines; c'est le cas de plusieurs espèces d'*Acer* et de *Sorbus,* par exemple. Enfin, si d'autres arbres produisent de bonnes graines, le semis de celles-ci donne des résultats très variables en raison des différences importantes de caractères qui existent entre les plants issus de semis, ce qui est dû à la nature hétérozygote des porte-graines (c'est-à-dire le fait qu'ils ne sont pas de race pure) ou à des croisements qui se produisent entre eux et des arbres voisins, appartenant au même genre.

La plupart de nos plus beaux arbres d'ornement ont été obtenus par sélection de plants de semis ou par mutation de bourgeons. Parmi les premiers, on trouve plusieurs cerisiers à fleurs, ainsi que des arbres à feuillage panaché ou coloré, tels que: *Ulmus carpinifolia* 'Sarniensis Dicksonii' (doré) et

Acer negundo 'Elegans' (panaché) ou à port particulier, tels que: *Liriodendron tulipifera* 'Fastigiatum' (érigé) et *Ulmus glabra* 'Camperdownii' (pleureur). Parmi les seconds figurent plusieurs de nos plus jolies variétés à coloris automnal, comme: *Acer rubrum* 'Schlesingeri' et *Quercus coccinea* 'Splendens'.

Les arbres issus d'une hybridation peuvent ou non produire de bonnes graines; s'ils en produisent, le semis de ces graines donne des plantes dont la valeur ornementale varie beaucoup. Le pépiniériste est donc amené à recourir à d'autres méthodes que le semis pour propager ces arbres.

BOUTURAGE

Plusieurs espèces à feuillage caduc, notamment saules et peupliers, sont couramment multipliées par boutures en sec faites en hiver et repiquées dans de petits sillons, en plein air. Ces boutures s'enracinent normalement pour être repiquées ou plantées dès la fin de l'automne suivant.

Un grand nombre d'arbres sont propagés par boutures demi-aoûtées faites en fin d'été, de juillet à septembre, quand les pousses commencent à se lignifier et sont encore garnies de leurs feuilles; c'est la meilleure saison pour multiplier les persistants, tels que: *Ilex aquifolium, Laurus nobilis, Prunus lusitanica* et *Magnolia grandiflora.* Les boutures sont placées sous châssis, à l'étouffée, en plein air ou en serre; elles peuvent être repiquées en pleine terre ou dans des caisses ou terrines. On doit veiller avec soin à l'ombrage et à l'arrosage durant les chaudes journées d'été. Dans la plupart des pépinières, l'enracinement de ces boutures est facilité par l'emploi d'hormones de bouturage et de la nébulisation ou «mist-system» qui consiste à maintenir le feuillage des boutures humide en permanence durant la journée à l'aide d'un brouillard déclenché à intervalles convenables.

Un troisième type de boutures, effectué entre juin et le début d'août, met en œuvre des pousses herbacées et tendres; ces boutures sont placées également sous châssis ou en serre à l'étouffée et sont l'objet de soins analogues aux précédents.

Boutures de persistants

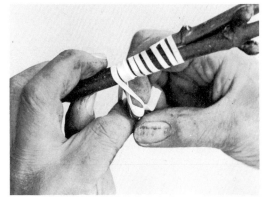

Suppression de la ligature sur Betula verrucosa
'Dalecarlica' 35 jours après le greffage

Greffage d'Aesculus x carnea 'Briotii'
sur marronnier d'Inde

GREFFAGE

Le greffage est la méthode de propagation par laquelle un fragment de la plante à multiplier, le greffon, est uni à une plante de type commun, le sujet ou porte-greffe, qui lui sert alors de support et pourvoit à son alimentation. La réussite du greffage nécessite une certaine affinité entre greffon et sujet; ainsi *Acer rubrum* 'Schlesingeri' reprend bien sur *Acer rubrum,* moins bien sur *Acer pseudoplatanus* et pas du tout sur *Acer platanoides* qui appartient à un groupe d'*Acer* différent.

Après le bouturage, le greffage est la méthode de propagation végétative la plus couramment pratiquée par le pépiniériste; il exige une certaine habileté qui s'acquiert après un patient apprentissage.

Par le greffage, beaucoup de nos meilleurs cultivars d'arbres d'ornement sont produits en quantité, tels que *Acer pseudoplatanus* 'Brillantissimum', *Betula verrucosa* 'Youngii' et *Robinia pseudoacacia* 'Frisia'. Nombre de cultivars d'arbres à feuilles laciniées ou colorées, de formes pleureuses ou fastigiées, de variétés sélectionnées pour leurs remarquables teintes automnales, ainsi que les arbres de croissance lente ou de culture difficile, sont multipliés par greffage. C'est ce qui explique le prix généralement élevé de ces arbres.

L'écussonnage est une forme de greffage dans laquelle le greffon est un simple bourgeon au lieu d'un fragment de tige; on l'emploie couramment pour propager les cerisiers et pommiers d'ornement, les sorbiers et les aubépines.

MARCOTTAGE

Cette méthode de multiplication, ancienne et populaire, est employée pour certains arbres dont les boutures s'enracinent mal. On couche généralement une branche dans le sol, après avoir entaillé légèrement le bois et avoir enduit la blessure d'une hormone de bouturage. Un compost léger et sableux favorise la naissance des racines sur la portion de branche enterrée, surtout si le sol est maintenu frais par un paillis. Les tiges âgées d'un an conviennent le mieux; lorsqu'elles sont suffisamment garnies de racines, les jeunes plantes ainsi obtenues peuvent être séparées du pied mère dans le courant de l'hiver qui suit le couchage des branches.

BOUTURAGE DE RACINES

Certains arbres: *Ailanthus, Aralia elata, Rhus, Robinia,* etc., peuvent être multipliés par des fragments de racines de 8 à 12 cm de longueur, préparés à l'aide d'une serpette bien aiguisée, puis couchés dans un mélange à parties égales de sable et de tourbe à une profondeur de 3 à 5 cm. Lorsque les boutures ont émis de nouvelles racines et des bourgeons, elles sont empotées ou repiquées dans une position normale. On pratique le bouturage de racines en fin d'hiver ou au début du printemps.

Etat de développement
des greffes :
Betula verrucosa
'Dalecarlica'
(après 35 jours)
Styrax japonica
(après 18 jours)
Betula verrucosa
'Purpurea'
(après 5 jours)

Comment choisir un arbre

En pépinière les arbres sont cultivés soit en pleine terre, soit en containers. Dans la première méthode, la plus ancienne et la plus courante, les arbres sont déplantés à racines nues ou, dans le cas de gros spécimens ou de persistants, avec une motte de terre entourée d'une toile, d'un filet, d'un panier ou d'un bac, selon les cas.

L'avantage des arbres cultivés en containers réside surtout dans le fait qu'ils supportent bien la plantation en pleine terre puisqu'ils conservent l'intégralité de leurs racines; de plus, ils peuvent être plantés presque à toute époque de l'année alors que les autres ne peuvent l'être que dans la période du repos végétatif. Toutefois, certaines espèces ligneuses, assez rares d'ailleurs, ne réussissent pas bien dans la culture en containers, et il en résulte un choix un peu plus limité qu'en pépinière. En outre, bien que cela ne soit pas à conseiller, certains arbres demeurent trop longtemps en containers: ils ont alors un système radiculaire tire-bouchonné et reprennent plus difficilement; ceci est particulièrement vrai pour les arbres à croissance très rapide comme les saules et les peupliers; les espèces d'eucalyptus sont également sujettes à cet inconvénient, aussi y a-t-il intérêt à planter ces arbres en sujets de petite ou moyenne taille.

Lorsqu'on achète des arbres dans une pépinière de bonne réputation, on n'a pas à craindre les inconvénients précités et les arbres qu'on y trouve sont de bonne qualité, quelle que soit la méthode selon laquelle ils ont été élevés.

Arbres :
haute tige,
demi-tige,
baliveau

FORMES DES ARBRES

La forme normale des arbres est la haute-tige, d'une hauteur de 1,80 m jusqu'aux premières branches et davantage même pour les espèces et cultivars vigoureux ou très vigoureux. On forme aussi les arbres en demi-tiges, de 1,25 à 1,50 m de hauteur, et en courtes tiges, de 0,80 m de hauteur. La cime ou couronne des arbres doit être normalement pourvue d'une branche principale ou flèche qui prolonge le tronc et qui permet de l'allonger dans certains cas, par suppression des branches les plus basses de la couronne. Cependant, certains arbres ont naturellement une cime touffue, sans branche principale de prolongement: c'est ce qu'on observe chez les petits arbres d'ornement: cerisiers, pommiers, aubépines, robinier boule, érable boule.

On forme enfin les arbres en touffes, comme les arbustes, et en baliveaux. Ces derniers, constitués par une tige verticale de 1,50 à 3 m de hauteur, garnie de courtes branches depuis le niveau du sol, sont le premier stade de la formation en tige, haute, demi ou courte: il suffit en effet de supprimer les branches basses sur 0,80 m, 1,40 m ou 1,80 m pour obtenir ultérieurement un arbre tige. Les arbres à port fastigié, tels que *Carpinus betulus* 'Fastigiata' et *Populus nigra* 'Italica', sont cultivés sous cette forme en leur conservant toutes leurs branches jusqu'à la base. D'autres arbres, comme le hêtre, le bouleau et le charme, sont utilisés de la même manière, pour les plantations de style naturel.

La forme des arbres qu'on achète dépend du type de leur végétation et du site dans lequel ils doivent prendre place. Le point essentiel à ne pas perdre de vue, lorsqu'on choisit un arbre, est qu'il doit posséder une ramure de belle venue et bien équilibrée; un système radiculaire ramifié et abondamment garni de chevelu est également essentiel, mais il est souvent difficile de l'établir par l'examen des plantes au moment de l'achat. On doit donc faire confiance au vendeur. Aussi, tous ceux qui, pour une raison ou une autre, commandent des arbres sans pouvoir les choisir ou les voir, ce qui est fréquemment le cas, ont-ils intérêt à s'adresser à des établissements connus pour la haute qualité de leur production et qui ont donné satisfaction à des amis ou à des voisins par leurs fournitures.

Plantation

D'une manière générale, les arbres élevés en pleine terre peuvent être transplantés durant la période du repos de la végétation, octobre à fin mars, en évitant les périodes de fortes pluies, de grand froid et de vents desséchants. Les caducs reprennent bien à la fin d'octobre et en novembre, quoique les mois de mars et d'avril leur soient également favorables. Les arbres élevés en containers peuvent évidemment être plantés à n'importe quelle époque de l'année, en évitant toutefois les conditions atmosphériques défavorables mentionnées plus haut pour les arbres de pleine terre.

ARRIVÉE DES ARBRES

Aussitôt que les arbres arrivent de la pépinière, il convient de les examiner pour vérifier qu'aucun dommage sérieux ne leur est survenu pendant le transport.

Si toutes les conditions se montrent convenables, la plantation peut commencer aussitôt. Dans le cas contraire, les arbres sont déballés avec soin et enjaugés, leurs racines placées dans une tranchée et entièrement couvertes de terre. Les arbres attachés en botte sont détachés et étalés dans la tranchée; les racines entourées de toile ou d'une feuille de polyéthylène en sont d'abord débarrassées avant enjaugeage. Les racines des plantes ne doivent jamais demeurer exposées au soleil ou aux hâles. Si les racines montrent des symptômes de dessèchement, elles doivent être trempées dans l'eau pendant quelques heures avant la plantation ou la mise en jauge. Les arbres en containers doivent toujours être arrosés à leur arrivée et, s'il n'est pas possible de les planter dans un court délai, le mieux est d'enjauger les containers. Lorsque les arbres parviennent à destination durant une période de froids rigoureux, quand la terre est gelée, il convient de les placer dans un local abrité: garage ou cellier, les racines couvertes de toiles humides ou de paille, jusqu'à ce que les conditions extérieures redeviennent favorables.

1. Décapage du gazon

ARBRES SUR PELOUSES

Une grande partie des arbres d'ornement est destinée aux plantations sur les pelouses. Les dimensions et la profondeur du trou varient suivant la taille du système radiculaire, mais elles doivent être suffisantes pour que les racines y tiennent à l'aise sans qu'elles se replient. Un trou de 1 m de côté et de 0,60 m de profondeur suffit pour la plus grande partie des arbres courants de pépinière; l'arbre doit être planté à la même profondeur qu'en pépinière, la marque laissée sur son collet par le niveau du sol en fournit l'indication. On prélève d'abord le gazon qu'on met de côté, puis on creuse un trou de la profondeur requise; on contrôle si la profondeur du trou est convenable en y présentant l'arbre. Le fond du trou est ameubli, on y place le gazon, l'herbe en dessous et on tasse légèrement à l'aide du pied. Il est utile de munir les arbres tiges ou demi-tiges d'un fort tuteur pour éviter que leurs racines ne se déplacent dans le sol par l'effet du vent sur leurs branches. Le châtaignier et le mélèze donnent les meilleurs tuteurs; ceux-ci doivent avoir une longueur supérieure de 0,80 à 1 m à celle du tronc des arbres, on les taille en pointe à leur base et on les fait tremper pendant quelques jours dans un produit qui préserve le bois de la pourriture, à l'exception toutefois du goudron et de la créosote. Ainsi préparé, le tuteur est placé au centre du trou et enfoncé dans le sol, à 30 cm environ de profondeur.

Tout est maintenant prêt pour la plantation. Les arbres en container sont placés dans le trou après les avoir débarrassés du récipient qui entoure leurs racines. Les arbres à racines nues sont minutieuse-

2. Ameublissement du fond du trou

3. Enlèvement de la tontine

4. Rafraîchissement des racines mutilées

5. *Mesure de la longueur du tuteur*

6. *Utilisation de tourbe*

7. *Contrôle de la bonne profondeur de l'arbre*

8. *Pénétration de la terre entre les racines par de légères secousses*

ment examinés afin de rafraîchir, avec soin, à l'aide d'une serpette, les plaies causées aux grosses racines par la déplantation. On dispose leur tige tout contre le tuteur, sur la plus grande partie sinon la totalité de sa longueur. S'il est nécessaire, le tuteur est scié à sa partie supérieure juste au-dessous du niveau de la plus basse branche de l'arbre. La terre est alors répandue sur les racines en secouant doucement l'arbre de bas en haut pour qu'elle pénètre dans la masse des racines sans y laisser subsister de poches d'air; on continue de combler le trou jusqu'au niveau du sol avoisinant, en tassant légèrement avec le pied. Dans les terres fortes et humides, il y a avantage à planter un peu au-dessus de ce niveau ou sur butte; dans les terres sèches, au contraire, il vaut mieux planter un peu plus profondément et ménager autour de l'arbre une large cuvette capable de recevoir les quantités d'eau nécessaires qu'on applique sous la forme d'arrosages. L'arbre est fixé au tuteur au moins par deux attaches conçues à cet effet, l'une vers la base de la tige, l'autre un peu au-dessous de la branche la plus basse de la cime. Chaque lien est séparé du tronc par une couronne de paille ou de caoutchouc qui évite les blessures que pourrait produire le contact direct de l'attache sur l'écorce; en outre l'attache ne doit pas être trop serrée pour permettre le déplacement de l'arbre par rapport au tuteur; le premier, planté dans un sol ameubli, descend légèrement au fur et à mesure que la terre se tasse et prend son assise définitive; le second, enfoncé dans le sous-sol ferme, demeure dans la position où il a été fixé à

l'origine. Eviter d'employer de la cordelette, des bas de nylon ou du fil de fer pour cet objet. Les attaches préviennent les blessures de l'écorce que le frottement de celle-ci contre le tuteur pourrait occasionner. On termine la plantation par un copieux arrosage qui constitue le meilleur moyen de faire pénétrer la terre entre les racines et d'assurer un contact parfait entre elles et le sol. L'arrosage a une importance particulière pour les arbres en containers plantés pendant la période de végétation active.

Les jeunes arbres peuvent être endommagés par les griffes des chats ou par la dent des rongeurs, notamment des lapins et des lièvres, plus rarement par celle des daims et des chevreuils. Du grillage métallique enroulé autour de la base de leur tronc assure une protection efficace de même que les feuilles de plastique actuellement disponibles pour cet usage et d'un aspect plus discret que le grillage.

Dans le cas de terres de très mauvaise qualité, il est souvent avantageux de remplacer la terre retirée du trou de plantation par de la bonne terre arable provenant d'un terrain du voisinage. On peut également disposer un peu de fumier de ferme bien décomposé ou de compost au fond du trou, lorsque les arbres sont plantés sur sol nu. Eventuellement, de la tourbe peut être ajoutée au sol pendant le remplissage du trou de plantation ainsi qu'une petite dose d'un fertilisant complet à action lente et progressive sous forme granulée.

Plus on apporte de soins et d'attentions lors de la plantation d'un jeune arbre, plus il a de chances de reprendre, puis de prospérer par la suite. Il ne faut jamais perdre de vue que les arbres sont des êtres vivants et qu'ils doivent être traités comme tels.

9. *Application de fertilisants (souvent bénéfique)*

10. *Tassement du sol avec le pied*

11. *Attache prévenant les blessures*

12. *Arbre correctement planté*

Soins après la plantation

Certains amateurs, qui ont planté et tuteuré soigneusement un arbre, l'abandonnent ensuite à lui-même en espérant qu'il va croître et se développer sans recevoir d'autres soins. La plupart des arbres d'ornement tirent profit des attentions dont on les entoure.

ARROSAGES

La principale exigence des arbres récemment plantés est de ne pas manquer d'eau. Même les arbres mis en place sur sol nu demandent de fréquents arrosages pendant l'été qui suit la plantation, afin qu'à aucun moment ils ne souffrent de la soif. Quand les arbres sont plantés sur des surfaces gazonnées, il est indispensable de maintenir le sol nu et travaillé à la base de leur tige, sur un mètre de diamètre au minimum, pendant plusieurs années, jusqu'à ce qu'ils soient parfaitement établis. Non seulement cette manière de procéder permet à l'eau de pénétrer facilement jusqu'aux racines, mais elle évite que les tondeuses à gazon ne s'approchent trop près de la tige des arbres au risque de lui occasionner de sérieuses blessures. Pour éviter le dessèchement du sol sur la partie débarrassée de gazon, au cours des périodes les plus chaudes de l'été, un paillis de 4 à 5 cm d'épaisseur, formé de feuilles mortes, de tourbe ou même de tontes de gazon, peut être appliqué sans toutefois en recouvrir la base du tronc qui doit rester dégagée. Il est également utile de vérifier l'état des arbres nouvellement plantés après les périodes de froid qui ont soulevé le sol et déchaussé les racines; il suffit souvent de raffermir la terre à l'aide du pied pour remédier à cet inconvénient.

TUTEURS ET ATTACHES

Dès que le jeune arbre est bien établi, sa tige s'accroît en diamètre et il devient nécessaire de surveiller les attaches pour s'assurer qu'elles ne sont pas trop étroitement ajustées et qu'elles permettent au

On doit toujours employer des attaches spécialement conçues à cet effet et les ajuster chaque année

tronc de grossir librement. Nombre de jeunes arbres vigoureux sont étranglés par des liens oubliés, notamment par des liens temporaires tels que fils de fer ou cordelettes en nylon qui, nous l'avons déjà indiqué, ne doivent jamais être employés. Les étiquettes assujetties par des fils métalliques sont une fréquente source d'accidents; aussi, ne saurait-on trop conseiller de relever l'emplacement et le nom des nouveaux arbres sur un plan et de supprimer, dès que possible, les étiquettes qu'ils portent. Sous l'influence des intempéries, celles-ci deviennent d'ailleurs rapidement illisibles.

Lorsque les arbres sont devenus suffisamment forts pour se tenir seuls, les tuteurs sont enlevés.

PROTECTION

Les arbres plantés dans les situations très dégagées sont évidemment plus exposés aux intempéries, durant les premières années où ils y sont le plus sensibles, que ceux qui sont plantés en situation abritée. Ainsi, les persistants et même les caducs doivent-ils parfois recevoir une protection contre les vents violents. Elle leur est aisément fournie par une simple toile ou un écran en polyéthylène placé dans la direction des vents dominants d'hiver ou tout autour de l'arbre. Cet écran peut être démonté dès qu'une période de temps plus calme survient. Dans les circonstances normales, on peut s'en dispenser complètement dès que l'arbre est convenablement établi pour pouvoir supporter seul les coups de vent.

FORMATION ET TAILLE

Dans la majorité des cas, le jeune arbre qui vient d'une pépinière est formé, sa charpente est ébauchée ou établie et son port déterminé (voir le chapitre: Comment choisir un arbre). En d'autres termes, il est bien constitué, fort et droit, avec une flèche ou, dans le cas d'espèces buissonnantes et touffues,

Jeune orme pleureur sur lequel on a laissé le sujet porte-greffe se développer librement

1. Branche brisée par le vent ou accidentellement

2. Supprimer la partie supérieure de la branche...

3. ...en conservant sa base

4. Couper alors celle-ci au ras du tronc

plusieurs pousses principales. Lorsque les arbres développent deux flèches, la plus faible des deux doit être supprimée dès que possible sans attendre qu'elle ait acquis une certaine force.

Pour tailler correctement un arbre d'ornement, il convient d'abord de bien connaître sa forme et son port naturels et de les respecter; on taille seulement ses branches qui croisent et se frottent l'une contre l'autre ainsi que celles qui sont malades ou endommagées. Les arbres obtenus par greffage développent parfois des drageons issus du porte-greffe; ces drageons doivent être éliminés, en les coupant aussi près que possible de leur point d'insertion sur la racine qui leur donne naissance et aussitôt qu'ils apparaissent, alors que leurs tissus sont encore tendres; on se sert pour cela d'un outil tranchant tel que la serpette.

Les variétés d'arbres à feuillage panaché émettent parfois des rameaux à feuilles vertes; on doit les supprimer de la même façon, dès qu'on les remarque, car plus vigoureux que les autres, ils tendent à les supplanter. Lorsqu'une branche est à supprimer, il faut s'assurer qu'on dispose des outils convenables pour effectuer le travail: scie égoïne à lame étroite, à large voie et à dents bien aiguisées, sécateurs, serpettes ainsi qu'une boîte de mastic à greffer ou de mastic cicatrisant. Pour les grands arbres, une forte échelle et une corde sont nécessaires. Les amateurs n'utilisent guère les serpes qu'ils laissent aux élagueurs professionnels, mais les petites tronçonneuses à moteur peuvent leur rendre de grands services. Enfin, un bon livre sur les différents types de taille est précieux.

Dans beaucoup de cas, les branches sont coupées à leur base, à l'endroit où elles s'insèrent sur une autre branche ou sur le tronc, et au ras de celui-ci. Sauf pour les plus petites, l'opération a lieu en deux temps au moins: on sectionne d'abord la branche en fragments en ne laissant que sa base, longue de 50 cm environ; cette dernière partie est alors éliminée sans crainte d'accident. Quand la branche est grosse, il est indispensable d'amorcer la coupe par le dessous avant de la sectionner définitivement, pour éviter qu'en se détachant elle arrache un lambeau de l'écorce et de l'aubier de la branche qui la supporte. Après la taille, les plaies doivent être rafraîchies et parfaites à l'aide de la serpette et recouvertes de goudron de Norvège ou de mastic à greffer. Enfin, dans le cas d'arbres de grande taille et pour les très grosses branches, il est prudent de recourir aux services d'un élagueur qualifié plutôt que de courir le risque d'un accident ou de dommages aux constructions ou aux plantations voisines. Il convient d'insister sur l'importance qu'il y a de s'adresser alors à un professionnel exercé, car l'élagage est un travail délicat qui ne peut être confié au premier venu.

Généralement considérée comme une opération hivernale, la taille des arbres peut aussi être effectuée à la fin de l'été, en août. A cette époque, les plaies qu'elle occasionne se cicatrisent rapidement, avant l'hiver. En outre, il y a peu de spores de champignons parasites en suspension dans l'air, ce qui réduit les risques d'infection des plaies par les maladies qui attaquent le bois. Les pruniers d'ornement doivent être taillés avant la fin de juillet.

5. Rafraîchir la plaie à la serpette

6. Aspect de la plaie aux bords lisses

7. Enduire la blessure d'un mastic cicatrisant...

8. ...qui protège la plaie contre les maladies

La dénomination des arbres

Comme les autres plantes, les arbres ont reçu un nom auquel on peut se référer aisément. Lorsqu'on achète un arbre, il est évidemment plus commode de le désigner par son nom que de le décrire; souvent le vendeur, qui a mal interprété une description vague ou inexacte, livre un arbre différent de celui qui était désiré. Toutefois, la plupart des utilisateurs se demandent pourquoi on a recours aux noms botaniques, difficiles à prononcer et plus difficiles encore à retenir, plutôt que d'utiliser simplement des noms français.

La nécessité d'une nomenclature correcte et précise n'apparaît pas clairement à tous. Cependant, un fait est certain: pour bien se comprendre, il faut parler le même langage; au moment où les échanges commerciaux s'élargissent et s'étendent aux pays étrangers, il est indispensable de désigner les plantes sous un même nom dans tous les pays. Or les noms communs, variables d'un pays à un autre et parfois même d'une région à l'autre, ne peuvent remplir ce rôle. Au contraire, les noms botaniques qui obéissent aux règles du code international de la nomenclature botanique sont compris de tous. Les végétaux sont désignés par deux mots: un nom de genre qui prend une initiale majuscule et un nom d'espèce qui prend en général une initiale minuscule; en outre s'y ajoute dans certains cas un nom de variété ou de cultivar. Le terme de cultivar est équivalent à celui de variété cultivée, alors que la variété botanique est une forme spontanée.

Pour beaucoup d'amateurs, les noms botaniques sont étranges et difficiles à retenir. En réalité, c'est seulement parce qu'ils n'ont pas l'habitude de les prononcer. En effet, de nombreux noms botaniques sont employés couramment comme noms communs pour désigner des plantes qui n'en possèdent pas d'autres: magnolia, camellia, rhododendron, fuchsia, bégonia, etc.

Au surplus, ces noms nous apprennent souvent quelque chose des arbres auxquels on les applique, par exemple l'origine: *chinensis, californica;* le port: *pendula, fastigiata;* l'aspect des feuilles: *latifolia, sorbifolia;* la forme de l'inflorescence: *paniculata;* la personne qui a introduit la plante dans les cultures: *wilsonii* (E. Wilson), etc. L'utilisation et la signification des noms botaniques est une étude très attachante.

FAMILLE

La famille est un grand groupe de plantes ayant en commun des caractères importants. Les noms de famille prennent toujours une initiale majuscule: Rosacées.

GENRE

La famille se subdivise en groupes de plantes plus petits, mais qui possèdent chacun des caractères suffisamment distincts pour pouvoir être séparés l'un de l'autre. Le nom de genre est le premier nom donné à chaque plante; comme nous l'avons vu, il prend une initiale majuscule: *Crataegus, Malus, Prunus.*

ESPÈCE

Chaque genre est composé d'une ou de plusieurs espèces, différentes les unes des autres, mais voisines. Le nom d'espèce est le second nom donné aux plantes: *Crataegus monogyna, Malus floribunda, Prunus sargentii,* etc. La nomenclature binaire, imaginée vers 1753 par l'illustre botaniste suédois Linné et utilisé depuis par tous les naturalistes, a une certaine analogie avec l'état-civil des personnes, le nom du genre correspondant au nom de famille: Durand, Lemoine, et le nom de l'espèce au prénom: Jean, Michel.

VARIÉTÉ

Dans la nature, les végétaux présentent des variations par suite des réactions qu'elles opposent aux conditions du milieu et de leur adaptation à ces conditions. Lorsque la variation est permanente, elle donne naissance à une variété de l'espèce et son nom est écrit avec une initiale minuscule, par exemple: *Ulmus angustifolia cornubiensis.*

CULTIVAR

Les variétés obtenues en culture et les formes sélectionnées de végétaux spontanés, et qui sont maintenues par la reproduction sexuée ou asexuée, constituent des cultivars. Leur nom est écrit avec une initiale majuscule et placé entre guillemets simples, tel: *Acer negundo* 'Elegans'.

CLONE

Le nom de clone s'applique aux plantes toutes identiques issues par voie végétative: bouturage, marcottage, greffage d'un même individu. Beaucoup de cultivars d'arbres ont une origine clonale, par exemple: *Acer rubrum* 'Schlesingeri', *Populus candicans* 'Aurora'.

HYBRIDE

Les hybrides entre deux espèces reçoivent un nom spécifique précédé du signe de multiplication, par exemple: *Arbutus × andrachnoides* ou simplement un nom de cultivar comme: *Ilex* 'Golden King' ou *Prunus* 'Kursar'.

CLASSIFICATION DES ARBRES

(très simplifiée)

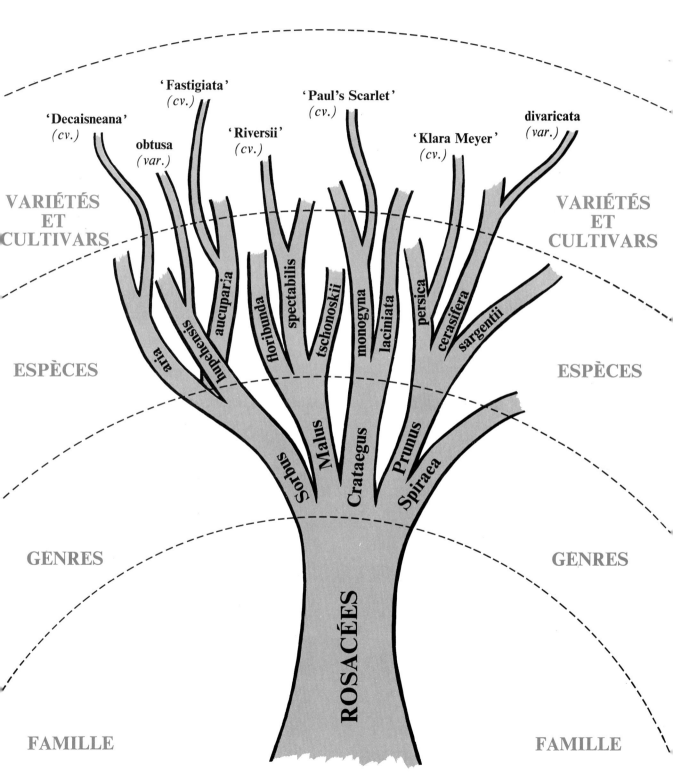

Maladies et ennemis des arbres

La liste des parasites qui peuvent attaquer les arbres d'ornement est longue. Fort heureusement, il n'y en a qu'un petit nombre de vraiment dangereux et les affections redoutables, comme la maladie des ormes, sont l'exception.

L'un des principaux fléaux des plantations ornementales est le pourridié ou blanc des racines *(Armillariella mellea)* qui parasite indistinctement toutes les essences et qui peut causer de sérieux dommages dans les plantations anciennes où existe une proportion élevée d'arbres faibles et dépérissants. Il est moins commun dans les petits jardins, sauf dans les sols humides ou à proximité de zones récemment déboisées. Le feu bactérien ou fire blight, qui a fait son apparition en Grande-Bretagne en 1957, mais qui est presque inconnu en France, est une maladie redoutable des Rosacées *(Pyrus, Cotoneaster, Sorbus,* etc.) dont elle provoque souvent la mort.

Parmi les insectes, les pucerons, qui piquent les jeunes pousses et les feuilles, et les cochenilles occasionnent des dégâts importants même sur les arbres âgés, lorsqu'ils s'y trouvent en grand nombre; ils produisent un miellat parfois abondant sur lequel peut se développer un champignon pulvérulent noirâtre: la fumagine; celle-ci diminue beaucoup la valeur décorative des arbres. Les ormes, surtout dans le Midi, sont souvent attaqués par la galéruque de l'orme dont les larves dévorent le parenchyme des feuilles, n'en laissant subsister que les nervures.

L'amateur dispose heureusement d'une gamme étendue de traitement fongicides ou insecticides qu'il peut utiliser lorsque les circonstances l'exigent et après avoir recueilli l'avis de personnes compétentes, comme les agents du Service de la Protection des végétaux par exemple. Les dimensions des arbres s'opposent parfois à l'application des traitements qui s'avèrent nécessaires.

D'autres troubles tels que les maladies de carence, dues aux déficiences du sol, la chlorose causée par un excès de calcaire, les atteintes du froid ou les brûlures occasionnées par le soleil peuvent revêtir l'apparence de maladies parasitaires; avant de décider du traitement à mettre en œuvre, il convient tout d'abord de déterminer la nature du trouble. En dehors du Service de la Protection des végétaux, les fonctionnaires qualifiés du Service de la Recherche agronomique, des lycées agricoles, des Services horticoles des grandes villes et les techniciens des principaux établissements de pépinière peuvent aider les amateurs à déterminer maladies et parasites et les conseiller dans le choix des traitements.

L'un des meilleurs moyens de maintenir le jardin en bon état sanitaire est l'hygiène, par la suppression des branches mortes, malades ou endommagées et par le traitement et la cicatrisation des plaies. Ainsi soignés les arbres sont capables de résister dans les meilleures conditions aux attaques des parasites.

TRAITEMENTS ANTIPARASITAIRES

Il convient d'insister sur l'importance des précautions qu'il faut observer dans l'application des traitements, qu'il s'agisse de traitements insecticides, fongicides ou même herbicides. Tout d'abord, demander conseil à une personne compétente avant de choisir un pesticide qui peut se montrer préjudiciable soit à des animaux, soit à des plantes autres que celles qu'on veut traiter; ensuite suivre les prescriptions du fabricant, notamment en ce qui concerne le dosage: une dose insuffisante est inefficace, une dose trop élevée risque de causer des dommages aux arbres. Les traitements doivent être appliqués par temps calme et couvert en évitant soigneusement les journées chaudes et ensoleillées et celles où le vent souffle. Pour éviter les dégâts dans les ruchers, la réglementation interdit les traitements insecticides pendant la floraison des arbres et pendant la période d'exsudation du miellat, sauf à l'aide de quelques composés reconnus sans danger pour les abeilles.

Enfin, conserver toujours les spécialités antiparasitaires dans leur emballage d'origine, et après emploi les ranger dans une armoire fermant à clef, de manière à les mettre à l'abri des enfants. C'est le plus sûr moyen d'éviter les accidents.

Arbre atteint de pourridié

Un arbre dans chaque jardin

UN CHOIX POSSIBLE

Il existe une telle diversité de tailles, de formes et de particularités ornementales chez les arbres qu'il est toujours possible d'en trouver un pour une situation donnée. Il y a des arbres adaptés aux plus petits jardins, il n'est donc pas nécessaire d'enlaidir des essences de grande taille par des tailles rigoureuses ou des élagages pour qu'ils puissent y trouver place; mieux vaut choisir tout de suite l'espèce et le cultivar convenables.

L'ARBRE DEVIENDRA GRAND

Planter un arbre qui deviendra trop encombrant pour l'emplacement qui lui est réservé est une erreur très commune. Une visite de petits jardins entourant des habitations montre de nombreux exemples d'arbres plantés sans qu'on ait pensé un instant à leur taille quinze ou vingt ans après. Fondations ébranlées, fenêtres privées de lumière et obscurcies, dallages soulevés... voilà quelques-uns des inconvénients qui résultent de la négligence des jardiniers amateurs ignorant la taille probable des arbres adultes.

UN EFFET RAPIDE

Aux conseils donnés par les pépiniéristes et horticulteurs sur le choix des essences, certains amateurs répondent qu'ils savent bien que les espèces retenues deviendront trop grandes et encombrantes mais que cet inconvénient préoccupera surtout leur successeur. Ceci est particulièrement le fait des personnes âgées dont le désir, très compréhensible d'ailleurs, est d'obtenir des arbres un effet immédiat ou très rapide. Cette opinion prend alors le pas sur les avis de professionnels au jugement plus sûr.

LES GRANDS ARBRES

Les espèces forestières de grande taille, telles que ormes, chênes, hêtres ou tilleuls, ne conviennent pas pour la plantation de jardins peu étendus; elles doivent être réservées aux parcs ou grands jardins où elles trouvent tout l'espace qui leur est nécessaire.

ARBRES CALCIFUGES

Il ne faut pas croire que les sols calcaires ne permettent qu'un choix d'arbres extrêmement réduit. A quelques exceptions près, les arbres s'adaptent à la plupart des sols à condition qu'ils ne soient pas marécageux. Certes, plusieurs espèces ligneuses ont leur vie abrégée ou ne produisent pas tout leur effet décoratif dans les terres calcaires, quelques-unes mêmes, peu nombreuses, ne les supportent pas, tels sont: *Embothrium, Magnolia campbellii, Nothofagus, Nyssa, Quercus coccinea, Q.palustris, Q.rubra, Sassafras* et *Stewartia.* Les arbres qui vivent moins longtemps en sols calcaires ou qui s'y plaisent médiocrement comprennent: *Acer rubrum, Amelanchier lamarckii, Castanea sativa, Cornus nuttallii, Eucalyptus* (sauf *E.parvifolia*), *Eucryphia* et *Liquidambar.*

ARBRES CALCICOLES

En revanche, plusieurs arbres semblent mieux réussir dans les sols calcaires que dans les autres, c'est le cas de *Cercis siliquastrum,* de divers *Malus* et *Prunus,* en particulier des cerisiers à fleurs du Japon qui y fleurissent un peu plus tôt que dans les sols lourds et argileux, parce que les premiers retiennent moins l'eau et s'échauffent plus rapidement au printemps que les seconds.

EXPOSITIONS

La plupart des espèces décrites dans ce livre préfèrent les situations dégagées dans lesquelles leurs feuilles reçoivent le maximum de lumière; cependant certains arbres peuvent s'adapter aux situations ombragées, comme *Ilex, Prunus lusitanica* et *Styrax.* Il ne faut pas confondre ombrage et abri; plusieurs arbres délicats bénéficient de la protection qui peut leur être offerte, surtout dans les premières années de leur existence, tandis que d'autres arbres, qui se plaisent aux expositions relativement chaudes du midi et de l'ouest, apprécient un abri si on doit les cultiver aux expositions du nord ou de l'est ou dans des situations froides. Les arbres, qui à l'état spontané croissent en forêt ou dans des boqueteaux, craignent les situations exposées aux vents froids; on trouve parmi les espèces de cette catégorie: *Cercidiphyllum, Cornus nuttallii, Davidia, Eucryphia, Nyssa, Sassafras, Stewartia, Styrax,* etc. Ces arbres préfèrent être associés à d'autres, ce qui ne veut pas dire qu'on ne puisse également les planter isolément sur les pelouses.

(suite page 16).

ARBRES A METTRE EN VEDETTE

Nous avons déjà indiqué que les arbres acquéraient une taille et une certaine silhouette et qu'ils pouvaient retenir l'attention par leurs fleurs, leurs fruits ou la teinte automnale de leur feuillage. Certains arbres ont une écorce veinée ou qui se détache du tronc par lambeaux, d'autres montrent de jeunes rameaux dénudés mais vivement colorés en hiver. Un aspect important et trop souvent sous-estimé des arbres est leur feuillage. Beaucoup de personnes pensent qu'un arbre d'ornement est obligatoirement un arbre à fleurs. Quand on choisit un arbre, il y a lieu de rappeler que ses fleurs, si intéressantes qu'elles puissent être, ont un charme temporaire; tout le reste de l'année, les feuilles constituent le seul attrait de l'arbre; de temps à autre viennent s'y ajouter l'écorce, les branches et les rameaux d'hiver, pour les espèces caduques. On ne peut évidemment critiquer le choix d'arbres fait surtout en raison de l'intérêt de leur floraison. Personnellement, nous pensons qu'une année de monotonie peut être compensée par l'attrait du bref mais inoubliable spectacle d'une floraison ou encore d'un parfum suave.

Dans les jardins exigus, où il n'y a place que pour un seul arbre, on attend de lui qu'il change plusieurs fois de parure au cours de l'année; les *Sorbus, Crataegus, Malus* et *Prunus* offrent un bon choix d'essences pour ces jardins.

Les listes d'espèces ligneuses données dans cet ouvrage ont pour objet d'indiquer les principaux arbres convenant à différents types de sols et à des situations variées. Ceux qui se distinguent par divers caractères décoratifs ont également été notés.

Les arbres décrits dans ce livre

Les arbres dont il est question dans cet ouvrage ont été choisis pour orner des jardins de grandeurs bien différentes et pour toutes les situations.

Les possesseurs de petits jardins, comme ceux de parcs et de jardins étendus, y découvriront un large assortiment d'arbres généralement faciles à trouver en pépinière.

Il existe aussi un autre groupe d'amateurs de jardins, qu'il ne faut pas oublier : ceux qui vivent en appartement, dans les grands ensembles; pour ces citadins, les espaces verts qui existent à la base des constructions, ou parfois le parc local dans lequel elles sont incorporées, leur procurent le seul contact qu'ils aient chaque jour avec les arbres. Ils sont rarement consultés sur le choix des espèces ligneuses au moment de l'aménagement des jardins. Cependant, il serait intéressant qu'une coopération s'établisse entre promoteurs et propriétaires d'appartements ou locataires, pour l'amélioration de l'environnement qui profiterait à tous.

Je me suis efforcé d'éviter les sélections stéréotypées d'arbres généralement recommandés pour les plantations; j'ai décrit un certain nombre d'arbres moins connus des amateurs et dont plusieurs sont égaux ou supérieurs en robustesse et en valeur décorative aux espèces communes. Je ne me crois pas obligé de présenter des excuses pour cela, bien qu'ils soient plus ou moins aisément disponibles en pépinière. Il me semble que le dérangement supplémentaire occasionné parfois pour obtenir ces arbres est amplement compensé par la satisfaction d'élever et de cultiver des plantes différentes et nouvelles. De toute façon, il était nécessaire de parler de certains de ces arbres dont la grande beauté ne peut passer inaperçue : ainsi, même si vous ne pouvez les planter dans votre jardin pour différentes raisons — sol, climat, plante de collection, etc... — vous pourrez au moins les reconnaître à l'occasion d'un voyage ou d'une visite dans un parc ou un arboretum.

De même, parce qu'il faut toujours effectuer un choix plus ou moins arbitraire à cause de limites matérielles imposées par le nombre de pages du livre, quelques arbres n'ont pas été cités bien qu'ils se trouvent disponibles chez un certain nombre de pépiniéristes, tels que : *Cedrela, Celtis, Maclura, Morus kagayamae*, etc. C'est en effet une lacune, mais l'amateur de jardins trouvera toujours auprès de son pépiniériste, comme moi un amoureux de la Nature et des plantes, le conseil complémentaire qui lui permettra de trouver une solution à tout problème créé par le choix d'un arbre.

Enfin, il est bon de rappeler que plusieurs de nos beaux arbres d'ornement figurent parmi les Conifères; ils sont décrits dans le livre " *Les Conifères, ornement de nos jardins* ", par Adrian Bloom.

RÉPERTOIRE ALPHABÉTIQUE DES NOMS COMMUNS

NOM COMMUN	NOM BOTANIQUE	NOM COMMUN	NOM BOTANIQUE
Acacia boule *(à tort)*	*Robinia pseudoacacia* 'Umbraculifera'	Faux Vernis du Japon	*Ailanthus altissima*
Acacia commun *(à tort)*	*Robinia pseudoacacia*	Février	*Gleditsia*
Acacia de Constantinople	*Albizia julibrissin*	Filaria	*Phillyrea*
Acacia doré *(à tort)*	*Robinia pseudoacacia* 'Frisia'	Frêne	*Fraxinus*
Ailanthe	*Ailanthus altissima*	Frêne à fleurs	*Fraxinus ornus*
Alisier blanc	*Sorbus aria*	Frêne de l'Arizona	*Fraxinus velutina*
Alisier de l'Himalaya	*Sorbus cuspidata*	Frêne pleureur	*Fraxinus excelsior* 'Pendula'
Alisier de Suède	*Sorbus intermedia*	Frêne pourpre	*Fraxinus oxycarpa* 'Raywood'
Amandier	*Prunus amygdalus*	Hêtre	*Fagus*
Arbousier	*Arbutus*	Hêtre doré	*Fagus sylvatica* 'Zlatia'
Arbre aux fraises	*Arbutus*	Hêtre pleureur	*Fagus sylvatica* 'Pendula'
Arbre aux mouchoirs	*Davidia involucrata*	Hêtre pourpre	*Fagus sylvatica* 'Purpurea'
Arbre aux pochettes	*Davidia involucrata*	Hêtre pourpre pleureur	*Fagus sylvatica* 'Purpurea Pendula'
Arbre de Judas	*Cercis siliquastrum*		
Arbre de Judée	*Cercis siliquastrum*	Houx	*Ilex*
Arbre de soie	*Albizia julibrissin*	Laurier d'Apollon	*Laurus nobilis*
Aubépine	*Crataegus monogyna et oxyacantha*	Laurier du Portugal	*Prunus lusitanica*
		Mai	*Crataegus monogyna et oxyacantha*
Aulne	*Alnus*		
Aulne blanc	*Alnus incana*	Marronnier	*Aesculus*
Bouleau à canots	*Betula papyrifera*	Marronnier d'Inde	*Aesculus hippocastanum*
Bouleau à papier	*Betula papyrifera*	Marronnier rouge	*Aesculus x carnea et Aesculus x carnea* 'Briotii'
Bouleau blanc	*Betula verrucosa*		
Bouleau noir	*Betula nigra*	Merisier	*Prunus avium*
Bouleau pleureur	*Betula verrucosa* 'Youngii'	Mûrier	*Morus*
Cerisier à fleurs	*Prunus (certains)*	Mûrier pleureur	*Morus alba* 'Pendula'
Cerisier d'automne	*Prunus subhirtella* 'Autumnalis'	Noisetier de Byzance	*Corylus colurna*
		Noyer d'Amérique	*Juglans nigra*
Cerisier du Japon	*Prunus serrulata*	Noyer noir	*Juglans nigra*
Cerisier du Japon pleureur	*Prunus serrulata* 'Kiku-shidare Sakura'	Orme	*Ulmus*
		Orme de Jersey	*Ulmus carpinifolia* 'Sarniensis'
Charme	*Carpinus*		
Charme pyramidal	*Carpinus betulus* 'Fastigiata'	Orme doré	*Ulmus carpinifolia* 'Wredei'
Châtaignier	*Castanea sativa*	Orme pleureur	*Ulmus glabra* 'Camperdowni'
Chêne	*Quercus*	Orme horizontal	*Ulmus glabra* 'Pendula'
Chêne commun	*Quercus robur*	Pêcher	*Prunus persica*
Chêne de Hongrie	*Quercus frainetto*	Peuplier	*Populus*
Chêne de Turquie	*Quercus cerris*	Peuplier blanc	*Populus alba*
Chêne du Caucase	*Quercus castaneifolia*	Peuplier baumier de Gilead	*Populus candicans*
Chêne écarlate	*Quercus coccinea*	Poirier	*Pyrus*
Chêne rouge	*Quercus rubra*	Poirier pleureur	*Pyrus salicifolia* 'Pendula'
Chêne rouvre	*Quercus robur*	Pommier à fleurs	*Malus*
Chêne vert	*Quercus ilex*	Robinier boule	*Robinia pseudoacacia* 'Umbraculifera'
Copalme	*Liquidambar styraciflua*		
Cornouiller	*Cornus*	Robinier doré	*Robinia pseudoacacia* 'Frisia'
Cytise à grappes	*Laburnum*	Robinier faux acacia	*Robinia pseudoacacia*
Épine à fleurs rouges	*Crataegus oxyacantha* 'Paul's Scarlet'	Saule	*Salix*
		Saule blanc	*Salix alba*
Épine blanche	*Crataegus monogyna et oxyacantha*	Saule marsault pleureur	*Salix caprea* 'Pendula'
		Saule pleureur à bois doré	*Salix x chrysocoma*
Érable	*Acer*	Saule pourpre	*Salix purpurea*
Érable argenté	*Acer saccharinum*	Savonnier	*Koelreuteria paniculata*
Érable à sucre	*Acer saccharum*	Sorbier des oiseleurs	*Sorbus aucuparia*
Érable du Japon	*Acer japonicum et A. palmatum*	Sumac de Virginie	*Rhus typhina*
		Sycomore	*Acer pseudoplatanus*
Érable negundo	*Acer negundo*	Tilleul	*Tilia*
Érable plane	*Acer platanoides*	Tilleul à petites feuilles	*Tilia cordata*
Érable pourpre	*Acer platanoides* 'Schwedleri Nigra'	Tilleul argenté	*Tilia tomentosa*
		Tilleul de Hollande	*Tilia platyphyllos*
Érable rouge	*Acer rubrum*	Tilleul des bois	*Tilia cordata*
Érable sycomore	*Acer pseudoplatanus*	Tilleul pleureur	*Tilia petiolaris*
Érable sycomore doré	*Acer pseudoplatanus* 'Worleei'	Tremble	*Populus tremula*
Érable sycomore pourpre	*Acer pseudoplatanus* 'Purpurascens' et 'Atropurpurea'	Troène	*Ligustrum*
		Tulipier de Virginie	*Liriodendron tulipifera*
		Yeuse	*Quercus ilex*

EXPLICATION DES SYMBOLES

Dimension — Quelle est sa vigueur et quelle taille est-il capable d'atteindre? telles sont les deux premières questions qui se posent au moment de planter un arbre. Elles concernent deux considérations très importantes: celle du temps que cet arbre demandera pour produire l'effet ornemental recherché et la place qu'il conviendra de lui réserver pour qu'il ne soit pas gêné dans son développement et qu'il ne cause pas de tort aux végétaux voisins.

Il est cependant difficile de donner des mesures précises car la vitesse de croissance des arbres et leur taille prévisible peuvent varier notablement suivant les conditions du milieu: profondeur et nature du sol, caractères climatiques de la région, exposition, voisinage de la mer, etc. Les indications fournies dans ce livre sont des indications générales, valables pour chaque espèce ou cultivar dans les conditions qu'ils rencontrent ordinairement dans notre pays et compte tenu de leurs exigences édaphiques et climatiques.

Les symboles employés ont la signification suivante:

G — grand arbre, plus de 20 m de hauteur
M — arbre moyen, atteignant 10 à 20 m
P — petit arbre, de 5 à 10 m de hauteur

Port et forme — Il était difficile, dans les limites étroites de cet ouvrage, de représenter schématiquement le port individuel de chacun des arbres qui y sont décrits. Nous avons retenu cinq formes de base auxquelles leur forme particulière peut se rapporter.

*forme arrondie
ou étalée* *forme conique* *forme en
colonne large* *forme fastigiée
ou en colonne étroite* *forme pleureuse*

Lorsque la forme des arbres mentionnés diffère notablement de la forme de base, les différences sont notées dans leur description, par exemple:

 Prunus serrulata 'Shimidsu Sakura'. Charmant cerisier au port bien particulier; sa cime, largement étalée, s'aplatit au sommet avec l'âge, pendant que ses longues branches retombent gracieusement à l'extrémité.

Couleurs merveilleuses des arbres se reflétant dans le miroir du lac du 'Sheffield Park' Sussex (Angleterre).

ACER

Vaste groupe d'arbres à feuilles caduques, les érables comprennent des espèces qui se parent des couleurs d'automne les plus délicates et les plus admirables ainsi que des espèces à écorce jaspée, les 'Snakebark maples' des auteurs anglais (littéralement: érables à écorce de serpent, en raison de l'aspect de leur écorce); ces derniers produisent un excellent effet dans les petits jardins, pendant l'hiver.

Les érables, robustes et vigoureux, sont parfaitement aptes à former des rideaux, car ils résistent bien à la pollution, même en zone industrielle. Tous rustiques et, à moins d'indications contraires, peu exigeants sur la nature du sol, ils se plaisent mieux, pour la plupart, dans les terres fraîches et bien drainées que dans les sols arides. Leur adaptation aux milieux les plus divers, y compris les plus médiocres, leur assure une place de choix parmi les arbres d'alignement employés dans les villes. Leurs feuilles, le plus souvent palmatilobées, sont opposées et leurs fleurs, généralement discrètes et sans grand intérêt, donnent naissance à des fruits ailés ou samares, réunis par paires.

Acer cappadocicum 'Aureum'. Sujet de 13 ans garni de branches jusqu'au niveau du sol.

Acer davidii 'George Forrest'. Sujet vigoureux de 13 ans, aux branches arquées, caractéristiques.

Acer cappadocicum

MG

Arbre de croissance rapide dont les feuilles à 5 ou 7 lobes deviennent d'un beau jaune d'or en automne. Se rencontre à l'état spontané du Caucase à l'Himalaya. Il a donné deux cultivars de valeur: 'Aureum', aux jeunes feuilles rougeâtres, puis dorées au printemps et au début de l'été, enfin vert pâle avant leur coloration automnale; exposé aux brûlures du feuillage sous les climats chauds ou après un été torride, il demande cependant une situation bien éclairée pour acquérir sa jolie couleur; il peut être taillé sévèrement et formé en grand buisson; 'Rubrum', aux jeunes feuilles rouge sang, passant ensuite au vert, jeunes rameaux rouge vif.

Acer davidii

PM

Probablement le meilleur érable à écorce décorative. Son écorce verte, striée de blanc, ressemblant à une peau de serpent, et ses branches vigoureuses et arquées font beaucoup d'effet en hiver; ses feuilles ovales, dentées, d'un vert intense, à pétiole rouge, deviennent jaunes en automne. Il est originaire du centre de la Chine. Son cultivar 'George Forrest' a une cime étalée et moins compacte que le type. Sont voisins: *Acer capillipes,* originaire du Japon, à écorce verte, striée de gris argent, et dont les feuilles trilobées tournent au jaune orangé et au rouge peu avant leur chute; *Acer grosseri hersii,* originaire du centre de la Chine, à feuillage rouge en automne; *Acer pennsylvanicum,* à port plutôt dressé et à écorce vert jade, striée de blanc; feuilles à trois lobes, jaunes à l'arrière-saison; ne supporte pas les terres très calcaires.

Acer ginnala

P

On rencontre souvent cette espèce d'Extrême-Orient sous la forme d'un grand buisson à branches étalées garnies de feuilles à trois lobes. Celles-ci deviennent orangé brillant ou carmin en automne.

Acer davidii. Un des meilleurs érables à écorce décorative.

Acer griseum. Superbe petit arbre, dont la fine écorce s'enroule en se détachant.

Acer japonicum 'Aconitifolium'. *Feuillage d'automne.*

Acer iaponicum 'Aureum'.
Feuillage doré du printemps à l'automne.

Acer griseum

P

L'écorce du tronc et des branches principales se détache et découvre la jeune écorce colorée en brun cannelle; en automne, les feuilles composées de trois folioles virent à l'écarlate et l'arbre acquiert un vif éclat.

Acer japonicum

P

Cet érable du Japon forme souvent un arbrisseau buissonneux, bien qu'on puisse l'élever sur une seule tige; c'est l'un des plus élégants par ses feuilles arrondies vert pâle, à lobes peu profonds, qui se colorent d'orangé et de rouge, en fin de végétation. Ses bouquets retombants de petites fleurs rouges sont intéressants au printemps. Il déteste les vents et les courants d'air et se plaît en situation abritée, ou sous de grands arbres dispensant une ombre légère, dans un sol frais, sain, à réaction acide. Il a donné de nombreux cultivars : 'Aconitifolium' à feuilles profondément lobées, rouge rubis ou cramoisies en automne; 'Aureum', de croissance lente, très attrayant par ses feuilles arrondies dentelées, jaune brillant toute l'année; il demande une situation demi-ombragée car les feuilles risquent de griller en plein soleil; 'Vitifolium', un des érables les plus brillamment colorés, aux grandes feuilles en éventail, rouge vif en automne.
Acer palmatum possède des caractères voisins de *A. japonicum;* on le cultive en buisson ou en petit arbre, surtout sous forme de ses cultivars : 'Atropurpureum' à feuilles pourpre foncé ou bronzé, 'Dissectum', à feuilles finement divisées, 'Ornatum', à feuilles pourpres et divisées.

Acer lobelii

MG

Espèce originaire d'Italie, à port érigé, convenant parfaitement pour planter le long des avenues et des boulevards et formant aussi d'excellents sujets à isoler dans les jardins de moyenne ou grande étendue; les jeunes rameaux, couverts de pruine, portent des feuilles à 5 lobes d'un beau vert qui deviennent jaunes en automne.

Acer japonicum 'Vitifolium', *à son meilleur moment.*

Acer lobelli. Arbre de 20 ans, dont les branches s'élèvent majestueusement.

Acer negundo 'Elegans'.

Acer negundo

MG

L'érable negundo a des feuilles différentes de celles de la plupart des autres érables; elles comprennent en effet 3 ou 5 folioles. Après les peupliers, les saules et les eucalyptus, c'est l'un des arbres qui poussent le plus vite. Il rend des services pour créer des écrans et des plantations qui produisent rapidement leur effet. Le negundo et ses variétés peuvent être taillés sévèrement tous les deux ans afin de leur faire émettre des pousses vigoureuses et de grandes feuilles.

Son cultivar 'Elegans' ou 'Aureo-Marginatum' possède de jeunes pousses vertes, couvertes d'une pruine blanchâtre, et des feuilles brillamment et irrégulièrement marginées de jaune; son cultivar 'Argenteo-Marginatum' ressemble au précédent, mais la panachure de ses feuilles est blanche. Tous deux produisent souvent des pousses à feuilles entièrement vertes qu'il faut supprimer avec soin dès qu'elles apparaissent, sous peine de les voir supplanter rapidement les pousses panachées.

Acer platanoides

G

Spontané en Europe, sauf dans les Iles Britanniques, l'érable plane est une espèce très populaire, de grande taille et de croissance rapide. Sa floraison présente aussi quelque intérêt; ses fleurs jaunes, réunies en corymbes, s'épanouissent en avril, avant que les feuilles soient développées; elles sont modestes, mais elles produisent un certain effet par leur abondance sur les branches encore nues de l'arbre. Ses grandes feuilles, à cinq lobes profonds, prennent un joli coloris jaune d'or en automne. Il a donné naissance à de nombreux cultivars dont les suivants sont les plus répandus:

Acer platanoides 'Columnare'

MG

Arbre de port très distinct, en colonne, avec des branches nombreuses et serrées formant à l'automne un véritable pilier doré.

Acer negundo 'Elegans'. Jeune arbre taillé sévèrement pour obtenir une cime bien compacte.

Acer negundo 'Argenteo Marginatum'. Un jeune arbre en été.

Acer platanoides. Fruits à la fin de l'été.

Acer platanoides
'Drummondii'

MG

Variété panachée remarquable dont les feuilles portent une large bordure blanc crème; comme les négundos panachés, il produit des pousses à feuilles vertes qui doivent être soigneusement supprimées.

Acer platanoides
'Globosum'

P

Arbre de petites dimensions, formant une cime régulière arrondie et dense; n'excédant pas 4 à 5 m de diamètre, l'érable boule convient pour border des rues ou des allées de largeur moyenne.

Acer platanoides
'Reitenbachii'

M

Cultivar de taille moyenne dont les feuilles d'abord rouges tournent graduellement au vert pour se parer finalement d'une magnifique teinte écarlate plusieurs semaines avant leur chute.

Acer platanoides
'Schwedleri'

MG

Cultivar très estimé et l'un des plus répandus; son feuillage d'abord rouge vif devient vert foncé au bout de quelques semaines, l'extrémité des pousses demeurant toujours rouge. Il est particulièrement attrayant lorsqu'on le taille périodiquement tous les deux ou trois ans pour favoriser le développement des pousses vigoureuses, à feuilles vivement colorées.

Acer platanoides
'Schwedleri Nigra' ou 'Crimson King'

MG

Voisin du précédent mais à feuillage pourpre foncé, parfois noirâtre, qui demeure coloré en pourpre intense toute l'année.

Acer platanoides. Exemple de chaudes couleurs d'automne.

Acer platanoides.
L'érable plane produit un bel effet décoratif.

Acer platanoides. Feuillage d'automne.

Acer platanoides 'Drummondii'. Détail de feuillage.

Acer platanoides 'Schwedleri Nigra'.
Un des arbres aux feuilles pourpres les plus foncées.

Acer platanoides 'Drummondii'.
Une panachure très remarquable.

Acer pseudoplatanus

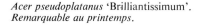

G

Le sycomore est un arbre extrêmement robuste, il supporte des conditions très défavorables: sols médiocres mais cependant profonds et atmosphère polluée par les poussières et les fumées des cités industrielles. Pour ces raisons, il est très employé dans les plantations urbaines d'alignement, dans les parcs, pour donner de l'ombre ou pour servir d'abri contre le vent.

Originaire de l'Europe continentale et de l'ouest de l'Asie, il est commun dans nos forêts.

Plusieurs de ses cultivars se rencontrent dans les plantations:

Acer pseudoplatanus. Le Sycomore, en spécimen isolé.

Acer pseudoplatanus 'Brilliantissimum'.
Remarquable au printemps.

Acer pseudoplatanus 'Brilliantissimum'

P

Répandu seulement en Grande-Bretagne sous forme d'arbuste ou de petit arbre; il est remarquable par ses jeunes feuilles d'abord rose crevette, devenant ensuite jaune verdâtre, puis vertes; sa croissance est lente. 'Prinz Handjery' en est très voisin.

Acer pseudoplatanus 'Erectum'

G

Variété à fortes branches dressées, très appréciée dans les jardinets de ville et dans les squares.

Acer pseudoplatanus 'Erectum'. *Sujet de 10 ans au port érigé caractéristique.*

Acer pseudoplatanus 'Leopoldii'.
Un des nombreux érables panachés.

Acer pseudoplatanus 'Leopoldii'

G
Jeunes feuilles roses, panachées de jaune; par la suite, elles deviennent vertes avec des points et des taches jaunes et blanches.

Acer pseudoplatanus 'Purpurascens'

G
Le sycomore pourpre a le limbe des feuilles vert foncé dessus et pourpre violacé dessous; l'effet du feuillage agité par le vent est très attrayant. 'Atropurpureum' est une forme de 'Purpurascens' à coloris très intense.

Acer pseudoplatanus 'Worleei'

M
Le sycomore doré a des bourgeons orange passant au jaune d'or, ses feuilles d'abord jaune verdâtre tendre, puis dorées, deviennent vertes à la fin de l'été; il est très beau, mais assez délicat; craignant le plein soleil, il pousse lentement.

Acer rubrum

G
Dans les régions de l'est des Etats-Unis et du sud-est du Canada d'où il est originaire, l'érable rouge est considéré comme l'arbre le plus spectaculaire quand il a revêtu sa tenue d'automne; ses feuilles à 5 lobes, vert foncé, plus pâles dessous, prennent alors de riches couleurs rouges, orangées et jaunes. Au printemps, ses branches encore dénudées se couvrent de bouquets de petites fleurs rouges. La coloration automnale du feuillage est plus vive dans les sols humides (que l'arbre préfère) que dans les sols secs ou calcaires.
'Scanlon' est un cultivar qui devient une forte colonne compacte, de taille moyenne, et très indiquée pour les petits jardins; un autre cultivar, 'Schlesingeri', est le plus remarquable pour sa coloration automnale qu'il est le premier à prendre; il forme alors une tache rouge sombre sur le fond des autres arbres encore verts.

Acer saccharinum

G

Arbre rustique, de croissance rapide, l'érable argenté est une espèce originaire d'Amérique du Nord, bien dénommée car ses feuilles à cinq lobes profonds sont blanc argenté dessous; elles deviennent jaune beurre à l'automne. Il forme de grands arbres, très jolis quand la brise agite leurs longues branches et donne un aspect changeant à leur feuillage. C'est l'un des plus beaux et des plus vigoureux de tous les érables; il faut lui réserver une large place dans les sols plutôt frais et à l'abri des grands vents auxquels ses branches sont sensibles. Son cultivar 'Wieri' (syn. 'Laciniatum') est très gracieux en raison de ses branches fines et retombantes et de ses feuilles profondément et finement découpées. On le rencontre plus fréquemment que le type dans les parcs où il est très apprécié pour sa grande valeur décorative.

Acer rubrum 'Scanlon'. Spécimen de 14 ans en forme de colonne dont le feuillage se colore dès le début de l'automne.

Acer rubrum 'Schlesingeri'.
Sujet de 9 ans dans sa parure automnale.

Acer rubrum.
Clones sélectionnés
aux éclatantes couleurs automnales.

Acer saccharum

GM

A complet développement, l'érable à sucre ressemble beaucoup à l'érable plane tant par l'aspect de sa cime que par celui de ses feuilles; en automne celles-ci s'illuminent de chaudes teintes jaune d'or, orange, écarlate ou cramoisi selon les sujets qui retrouvent le même coloris chaque année. Originaire d'Amérique du Nord, il n'est malheureusement pas très courant en Europe et mériterait d'être plus répandu comme arbre d'avenues ou à isoler sur les pelouses. Parfaitement rustique et peu exigeant sur la nature du sol, on doit cependant lui réserver des terres fertiles car, en France, sa croissance est modérée. Le sirop d'érable est tiré à peu près exclusivement de la sève de cette espèce, dans le sud-est du Canada et le nord-est des Etats-Unis. Son cultivar 'Temple's Upright' ou 'Monumentale', en forme de colonne, est tout à fait remarquable.

Acer saccharinum. Un arbre splendide ayant atteint son plein développement.

Acer saccharinum 'Wieri'.
Un jeune arbre de belle vigueur.

Acer saccharum.
Sujet de 13 ans présentant de chaudes teintes d'automne.

AESCULUS

Les marronniers figurent parmi les arbres d'ornement
les plus faciles à cultiver, car ils ont peu d'exigences.
La plupart d'entre eux forment des arbres trop en-
combrants pour les petits jardins, ils doivent être
réservés aux parcs ou aux jardins étendus dans lesquels ils produisent le maximum d'effet. Leurs grandes feuilles sont composées palmées et leurs fleurs
sont réunies en panicules terminales denses; les fruits,
sortes de capsules charnues à épines molles, renferment des graines brunes volumineuses. A l'automne,
le feuillage des marronniers acquiert des coloris qui
varient du jaune à la teinte feuille morte.

Aesculus hippocastanum

G

Le marronnier d'Inde, qui n'est d'ailleurs
pas originaire des Indes, mais des Bal-
kans, est l'un des arbres les plus familiers
et les plus communément plantés, surtout
le long des avenues et sur les places publiques. On
aime son joli feuillage et ses fleurs blanches, réunies
en panicules dressées, qui s'épanouissent à la fin
d'avril et en mai. Ses fruits servent malheureusement
de projectiles aux enfants; en outre, il est sensible à
l'aridité du sol et de l'atmosphère qui cause la chute
prématurée des feuilles pendant l'été; au cours des
années chaudes et sèches, les arbres peuvent être
entièrement dépouillés de leur feuillage dès le milieu
de juillet. Il convient donc de les arroser dès qu'ils en
ont besoin et surtout de leur éviter les situations
brûlantes et la réverbération de la chaleur au voisinage des bâtiments. Le cultivar 'Baumannii', à fleurs
doubles, de longue durée, ne produit pas de fruits.
Pour cette raison, on doit le préférer au type pour les
plantations publiques.

Aesculus × carnea

M

Le marronnier rouge provient du croisement entre *A. hippocastanum* et une
espèce américaine *A. pavia,* de plus petite
taille et à fleurs rouges. Son feuillage est
d'un vert plus sombre, ses fleurs roses s'épanouissent
en mai et ses fruits, de teinte bronzée, sont dépourvus
d'épines. On cultive surtout son cultivar 'Briotii',
obtenu vers 1858 aux pépinières de Trianon, à Versailles, et qui en diffère par sa cime plus compacte et
surtout par ses fleurs rouge écarlate.

Aesculus neglecta 'Erythroblastos'. *Jeune sujet de 8 ans,
montrant son feuillage de printemps.*

Aesculus hippocastanum. Le marronnier d'Inde, bien connu.

Aesculus neglecta 'Erythroblastos'

M

Marronnier peu répandu et de croissance lente qui rappelle *Acer pseudoplatanus* 'Brilliantissimum' par ses jeunes feuilles rose crevette au printemps, qui deviennent ensuite jaune verdâtre pour se teinter enfin de jaune d'or et d'orangé en automne. Il doit être planté en situation demi-ombragée, abritée des rayons du soleil au cours de la matinée.

Aesculus parviflora

P

A. parviflora, qui peut atteindre 3 à 4m de hauteur, est plus un arbrisseau drageonnant qu'un arbre; il est intéressant à la fois par ses feuilles élégantes à rachis rouge et par ses fleurs blanc rosé, en juin-juillet. Il vient bien en sous-bois, sous un ombrage léger.

AILANTHUS

Genre comprenant quelques espèces de grands arbres caducs, originaires d'Extrême-Orient. Vigoureux et rustiques, ils s'accommodent de la plupart des sols et de toutes les situations, même des zones industrielles à l'atmosphère polluée. Leurs fleurs, ainsi que leurs feuilles froissées, dégagent une odeur désagréable.

Ailanthus altissima. Un arbre adulte aux nobles proportions.

Ailanthus altissima. Le beau feuillage d'été du Faux Vernis du Japon.

Ailanthus altissima

G

Le faux-vernis du Japon croît rapidement et donne en peu de temps de beaux arbres auxquels on reproche parfois de produire des drageons. Ses grandes feuilles pennées comprennent de nombreuses folioles munies de dents glanduleuses à leur base.

Ses fleurs unisexuées, insignifiantes, sont portées par des sujets différents. Les fruits en samares rougeâtres sont ornementaux, mais ils se dessèchent, persistent pendant l'hiver, pour brunir et prendre un aspect désagréable. C'est un des meilleurs arbres pour planter dans des conditions franchement mauvaises. Lorsqu'il est rabattu chaque année au ras du sol, il produit de fortes pousses de plus de 3 m de hauteur portant des feuilles qui dépassent 1 m de longueur et qui sont particulièrement ornementales.

Albizia julibrissin 'Rosea'. Un arbre ravissant pour créer une ambiance exotique.

ALBIZIA

Arbres voisins des Acacia *(mimosas) auxquels ils ressemblent par leur feuillage ; une seule espèce d'*Albizia *se rencontre couramment en culture, en particulier sous la forme d'un cultivar rustique.*

Albizia julibrissin

P

Connu sous les noms d'Arbre de Soie et d'Acacia de Constantinople, ce petit arbre est originaire d'Extrême-Orient. Ses branches largement étalées avec l'âge lui communiquent une forme de parasol ou une cime aplatie au sommet et dont le diamètre excède sensiblement la hauteur. Ses grandes feuilles bipennées comprennent de nombreuses folioles de petite taille et ressemblent à des frondes de fougères. En été, de juillet au début de septembre, la plante se couvre de bouquets de fleurs duveteuses, blanc rosé à étamines roses. Les fruits en gousse aplatie n'apparaissent que dans les régions méridionales ou après des étés chauds.

C'est l'un des plus beaux arbres qui permettent de donner aux jardins un aspect tropical; on l'utilise également en jeunes sujets dans les plates-bandes florales auxquelles son fin feuillage donne un caractère exotique. En France, il n'est rustique que sur le littoral de la Manche (jusqu'à Cherbourg), et de l'Atlantique, dans la basse vallée de la Loire, dans le Sud-Ouest et dans le Midi; il a besoin d'étés suffisamment longs et chauds pour que son bois mûrisse et s'aoûte. Il réussit particulièrement bien dans le Sud et le Sud-Ouest de l'Angleterre près de la mer, lorsqu'on lui réserve un emplacement ensoleillé, à proximité d'un mur. Son cultivar *'Rosea'* (syn. *Albizia nemu*) a le même port et le même feuillage que le type dont il diffère par sa rusticité et par la couleur rose vif des étamines; ses fleurs se détachent sur le fond vert tendre du feuillage. Il est difficile d'imaginer un plus joli spectacle que celui de cet arbre pendant sa pleine floraison. On peut le cultiver dans la région parisienne et même plus à l'est à exposition favorable et dans des sols de bonne qualité, peu calcaires.

ALNUS

Arbres à feuillage caduc, les aulnes s'accommodent des sols humides et croissent avec vigueur. Plusieurs espèces portent un feuillage intéressant et de longs chatons floraux au printemps.

Alnus cordata

MG

Spontanée en Corse et en Italie, cette espèce donne rapidement de forts sujets garnis de feuilles brillantes, vert sombre et, à partir de l'été, de fruits en forme de cônes. Ses feuilles tombent tard en saison sans perdre leur couleur verte. Ce bel arbre se plaît à la fois dans les terres humides et dans les terres relativement sèches.

Alnus glutinosa

M

L'aulne commun se rencontre sur le bord des rivières et des étangs en Europe, dans l'ouest de l'Asie et le nord de l'Afrique.

En mars, ses rameaux nus se couvrent de chatons mâles jaunes, puis ses bourgeons visqueux donnent naissance à des feuilles obovales, glutineuses, vertes et lustrées. Sa variété 'Aurea' a des feuilles jaune brillant au printemps et au début de l'été, passant graduellement ensuite au vert; elle est plus vigoureuse que *Alnus incana* 'Aurea'; quant à la variété 'Imperialis', elle se distingue du type par des feuilles profondément et finement découpées qui donnent à la plante un aspect délicat et gracieux.

Alnus cordata.
Arbre élégant à croissance rapide.

Alnus glutinosa 'Imperialis'.
Jeune arbre particulièrement gracieux par son feuillage léger.

Alnus glutinosa 'Imperialis', *aux feuilles finement découpées.*

Alnus incana 'Pendula'. *Magnifique arbre pleureur aux formes étranges.*

Alnus cordata. Les gros fruits et les feuilles brillantes de l'aulne d'Italie.

Alnus incana

M Indigène dans toute l'Europe, l'aulne blanc est un arbre rustique et accommodant. Il produit des chatons mâles pendants, en février, puis des feuilles dentées, grises et tomenteuses en-dessous. Il résiste parfaitement aux expositions froides et exige moins d'humidité que l'aulne commun. Il a donné deux cultivars intéressants: 'Aurea' aux jeunes pousses jaunes et rougeâtres jusqu'en hiver, aux chatons orangés et aux feuilles d'abord dorées puis passant graduellement au vert grisâtre à la fin de l'été; 'Pendula', un des meilleurs petits arbres pleureurs dont les branches forment une boule dense.

AMELANCHIER

Petits arbres intéressants par leur floraison printanière et souvent aussi par leurs riches couleurs automnales.

Amelanchier lamarckii

P

Souvent cultivé sous le nom erroné d'*A. canadensis,* cette espèce rustique et facile à élever donne un nuage de petites fleurs blanches au printemps et fête la fin de la belle saison dans le flamboiement de son feuillage orangé et rouge. Il redoute les terres superficielles, sèches et calcaires. Originaire d'Amérique du Nord, il croît à l'état subspontané dans plusieurs pays de l'Europe occidentale, notamment en Grande-Bretagne.

Amelanchier lamarckii. Pendant sa floraison, en avril.

Amelanchier lamarckii.
Fruits abondants par année propice.

Amelanchier lamarckii. Riches teintes d'automne.

ARALIA

Quelques espèces frutescentes de ce genre sont culti-
vées pour leurs grandes feuilles composées, d'aspect
curieux, mais très décoratives. Peu exigeantes sur la
nature du sol, elles sont rustiques bien qu'il y ait
toujours intérêt à les planter dans un emplacement
abrité des vents violents et froids.

Aralia elata

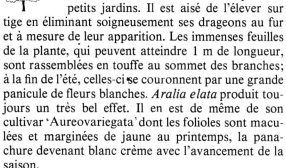

P   **A**

Cet Aralia, en dépit de son caractère
drageonnant, est l'un des meilleurs
arbrisseaux de taille très réduite pour les
petits jardins. Il est aisé de l'élever sur
tige en éliminant soigneusement ses drageons au fur
et à mesure de leur apparition. Les immenses feuilles
de la plante, qui peuvent atteindre 1 m de longueur,
sont rassemblées en touffe au sommet des branches;
à la fin de l'été, celles-ci se couronnent par une grande
panicule de fleurs blanches. *Aralia elata* produit toujours un très bel effet. Il en est de même de son
cultivar 'Aureovariegata' dont les folioles sont macu-
lées et marginées de jaune au printemps, la panachure devenant blanc crème avec l'avancement de la
saison.
Le cultivar 'Variegata' diffère de celui-ci par sa panachure qui est blanc crème dès le départ de la végétation

*Aralia elata. Un petit arbre intéressant pour sa floraison
tardive.*

ARBUTUS

Les deux espèces d'arbousiers décrites ci-après sont des arbres persistants, peu délicats sur la
nature du sol et capables de s'accommoder même des sols calcaires. Leurs feuilles sont vert
foncé, dentées et coriaces et leurs petites fleurs à corolle urcéolée sont réunies en bouquets. Ils
supportent mal la transplantation, de sorte qu'il est préférable de les planter en jeunes sujets
fournis en mottes ou en containers.

Arbutus × andrachnoides

P

Hybride entre *A. unedo* et *A. andrachne*,
de Grèce, cette espèce se distingue par
son port largement étalé et par son
écorce rouge-brun. Ses fleurs s'épanouissent à la fin de l'automne et en hiver et donnent de
petits fruits rouges.

Arbutus unedo

P

L'arbousier ou arbre aux fraises est une
plante pittoresque avec son écorce brune
qui se détache du tronc par lambeaux.
Ses fleurs blanches apparaissent à la fin

de l'automne, en octobre-novembre, au moment où
ses fruits de l'année précédente commencent à se
colorer en rouge: ils ressemblent à de petites fraises et
sont comestibles mais insipides. L'espèce, originaire
du bassin méditerranéen, croît aussi à l'état spontané
dans le sud-ouest de l'Irlande; elle réussit dans une
grande partie de notre pays et convient pour la plantation des jardins du littoral exposés aux vents violents; toutefois, elle préfère une situation abritée dans
les zones continentales à hivers froids.
Arbutus unedo 'Rubra' est plus compact que le type et
plus intéressant par ses fleurs roses et ses fruits
abondants.

Arbutus x andrachnoides. Un vieux spécimen à écorce papyracée, se détachant du tronc et d'un effet saisissant.

BETULA

Les principales qualités des bouleaux résident dans la coloration de leur écorce, dans la riche teinte dorée de leur feuillage en automne et dans l'élégance de leur port. Ils viennent dans tous les sols. Toutefois, ils crois-sent plus lentement dans les terres superficielles, calcaires et sèches.

Betula costata

MG
Bel arbre originaire du nord-est de l'Asie dont l'écorce blanc crème, souvent tein-tée de jaune, se soulève en grandes écail-les.

Betula ermanii

MG
De même origine que le précédent, cette espèce est pourvue d'une écorce blanc crème, teintée de rose, devenant ensuite brun orangé et se détachant du tronc et des branches.

Betula jacquemontii

M
Bouleau de l'ouest de l'Himalaya, l'une des plus belles espèces dont l'écorce blanche se desquame.

Betula nigra

MG
Contrairement à la plupart des bouleaux, le bouleau noir ou 'River Birch', de l'est des Etats-Unis, a une écorce rugueuse, noirâtre; ses feuilles, en forme de lo-sange, permettent de le reconnaître aisément. Natu-rellement, il donne plusieurs tiges à partir du sol. Il vient très bien dans les terres humides, mais ne supporte pas les sols marécageux.

Betula costata.
Ecorce remarquable, particulièrement en hiver.

Betula costata. Jeune arbre en hiver.

Betula verrucosa. Le bouleau blanc est un arbre très gracieux.

Betula verrucosa. Même en hiver, il conserve son élégance.

*Betula nigra. Excellent arbre pour terrains humides ;
il présente ici son écorce typique, sombre et rugueuse.*

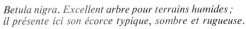

Betula verrucosa 'Dalecarlica'.

Betula utilis. Jeune arbre commençant à montrer son écorce orange.

Betula papyrifera. Un jeune sujet au tronc d'un blanc éclatant.

Betula papyrifera

G

Originaire d'Amérique du Nord, le bouleau à canots ou à papier a une belle écorce blanc vif, se détachant du tronc par grandes plaques. Cet arbre est employé par les Indiens à de nombreux usages, notamment la fabrication de canots.

Betula utilis

M

Ce bouleau est considéré comme la forme orientale du *B. jacquemontii* auquel il ressemble. On le rencontre dans les montagnes de l'est du Népal.

Betula verrucosa

MG

Spontané dans toute l'Europe, le bouleau blanc est une espèce de croissance rapide et de port gracieux qui attire l'attention par la couleur de son écorce. Son tronc blanc argenté et ses fines branches retombantes en font un arbre de grande valeur pour planter en groupes sur les pelouses.

Betula verrucosa 'Dalecarlica'

MG

Cette variété suédoise du bouleau blanc forme un arbre élevé, mais élancé et svelte, aux branches retombant gracieusement et aux feuilles découpées; il doit trouver place dans les petits jardins.

Betula verrucosa 'Fastigiata'

MG
Arbre d'assez grande taille à branches érigées et étroitement appliquées le long du tronc; son port très particulier n'a toutefois pas l'élégance de l'espèce type.

Betula verrucosa 'Tristis'

MG
Comme le cultivar *'Dalecarlica'*, ce bouleau possède une flèche verticale, ses branches latérales sont pleureuses.

Betula verrucosa 'Youngii'

PM
Le bouleau pleureur développe une cime caractéristique en forme de champignon, sans flèche, dont les branches retombent jusqu'au sol; arbre d'ombrage idéal pour les petits jardins, il est l'homologue de l'orme pleureur.

Betula verrucosa 'Youngii'. *Jeune sujet élégant.*

Betula verrucosa 'Youngii'.
Bouleau pleureur, spécimen de 35 ans, dans une scène attrayante.

CHOIX D'ARBRES POUR DIFFÉRENTS SOLS

Sols Calcaires	Acer negundo & cvs.
	Acer platanoides & cvs.
	Acer pseudoplatanus & cvs.
	Ailanthus altissima
	Aesculus
	Arbutus x andrachnoides
	Arbutus unedo
	Betula
	Carpinus betulus & cvs.
	Catalpa bignonioides
	Catalpa x erubescens ' Purpurea '
	Cercis siliquastrum
	Cotoneaster
		Crataegus
		Fagus sylvatica & cvs.
		Fraxinus excelsior & cvs.
		Fraxinus ornus
		Gleditsia triacanthos
		Juglans nigra
		Koelreuteria paniculata
		Laburnum
		Ligustrum lucidum
		Magnolia acuminata
		Magnolia x loebneri
		    ' Leonard Messel '
		Malus
			Morus
			Paulownia tomentosa
			Phillyrea latifolia
			Populus alba
			Prunus (Cerisiers du Japon)
			Quercus (sauf coccinea,
			    rubra, velutina)
			Sophora japonica
			Sorbus aria
			Sorbus hybrida
			Sorbus intermedia
			Tilia
			Ulmus

Sols Argileux	Acer Aesculus Alnus Betula Carpinus Crataegus	Eucalyptus Fraxinus Ilex Magnolia Malus Populus	Prunus Quercus Salix Sorbus Tilia Ulmus
Sols Humides	Alnus Amelanchier lamarckii Betula nigra Betula verrucosa	Crataegus oxyacantha Fraxinus excelsior Liquidambar styraciflua Magnolia virginiana Platanus x acerifolia	Populus Pterocarya fraxinifolia Quercus rubra Salix Sorbus aucuparia

Arbres au bord du lac d'Exbury Gardens (Angleterre) au printemps.

CARPINUS

Arbres à feuilles caduques dont une seule espèce existe communément dans les cultures.

Carpinus betulus

M

Bien qu'il se présente surtout en haies ou en charmilles, le charme commun est un arbre splendide pour planter en isolé ou par petits groupes. Les sujets âgés ont un tronc lisse et gris, très reconnaissable. Les feuilles dentées et fortement côtelées prennent en automne une belle teinte jaune tandis que les groupes de fruits, curieuses samares à aile trilobée, pendent le long des branches. Rustique et s'adaptant à la plupart des milieux et des terrains, le charme se rencontre à l'état spontané dans toute l'Europe et dans l'ouest de l'Asie; il constitue de vastes forêts dans les montagnes qui avoisinent la mer Caspienne. Son cultivar 'Fastigiata' (syn. 'Pyramidalis') a des branches érigées et un port pyramidal qui s'élargit un peu avec l'âge, mais qui demeure très régulier. Les autres variétés sont peu répandues en France : 'Columnaris', moins vigoureux que 'Fastigiata', forme une colonne compacte, 'Incisa' à feuilles de chêne, 'Purpurea', à feuillage pourpre.

Carpinus
betulus
'Fastigiata'

CASTANEA

Arbres à feuilles caduques ne prospérant que dans les terrains dépourvus de calcaire.

Castanea sativa.
Détail des fruits et des feuilles
du châtaignier.

Castanea sativa

G

Le châtaignier commun est l'un des arbres dont la croissance est la plus rapide; ses grandes feuilles sont oblongues et dentées; elles sont accompagnées, dans la première quinzaine de juillet, de longs chatons de fleurs jaune pâle. Les châtaignes, enfermées dans des bogues épineuses, donnent des récoltes satisfaisantes dans les régions aux étés longs et chauds. Bien qu'il soit commun et apparemment spontané dans de nombreux pays comme l'Angleterre, il est originaire du sud de l'Europe. En France, on le rencontre en particulier en Corse et dans le Massif Central. Il forme de magnifiques sujets isolés de taille majestueuse, des alignements et des boqueteaux.

Castanea sativa. Un vieux spécimen à l'écorce caractéristique.

46

CATALPA

Arbres caducs à large feuillage, produisant en été des inflorescences terminales de fleurs tubuleuses. Ils sont rustiques et prospèrent dans des sols variés, mais il est préférable de ne pas les planter dans des situations exposées aux vents violents car leurs feuilles pourraient subir des dommages.

Catalpa bignonioides. Fleurs, en juillet.

Catalpa bignonioides. Jeune sujet.

Catalpa bignonioides. Fruits en gousses, à la fin de l'été.

Catalpa bignonioides

M   **A**

En raison de son port largement étalé, le catalpa convient surtout dans les jardins moyens ou grands et dans les parcs; ses fleurs blanches piquetées de jaune et de pourpre qui s'épanouissent à la fin de juin et juillet se détachent sur un fond de grandes feuilles cordiformes. Les fruits sont de longues capsules persistantes, semblables aux gousses du haricot. Sa variété 'Aurea' est un petit arbre remarquable à feuilles dorées, l'un des meilleurs dans ce groupe.

Catalpa × *erubescens* 'Purpurea'

MP   **A**

Hybride entre le *C. bignonioides*, de l'est des Etats-Unis et le *C. ovata* de Chine. Port étalé du premier, fleurs semblables, mais un peu plus petites et plus abondantes; pousses et jeunes feuilles d'abord pourpre noirâtre, passant ensuite au vert sombre.

Catalpa bignonioides. Vieil arbre au port étalé caractéristique.

Catalpa bignonioides 'Aurea'. Sujet de 8 ans, à la fin de l'été.

Catalpa x *erubescens* 'Purpurea'. *Un magnifique spécimen dans le jardin botanique de Cambridge.*

Catalpa x *erubescens* 'Purpurea'. *Jeune sujet aux pousses annuelles vigoureuses.*

CERCIDIPHYLLUM

Un des arbres les plus ravissants par ses couleurs automnales, ses fleurs ont peu d'intérêt. Il prospère surtout dans les sols frais mais bien drainés et ne s'accommode guère des terres sèches et calcaires. On doit également lui éviter les situations exposées aux vents froids ou à l'action des gelées car ses jeunes pousses sont sensibles aux gelées printanières.

Cercidiphyllum japonicum

M

Arbre gracieux pouvant se former à partir d'une ou de plusieurs tiges et dont les ramifications sont légèrement retombantes. Ses feuilles petites, cordiformes, d'un vert brillant sont opposées. Dès l'automne, elles se parent de teintes magnifiques: vieux rose, rouge ou jaune pâle et répandent un parfum caractéristique de caramel, perceptible à de grandes distances.

Cercidiphyllum japonicum. Arbre d'une grande beauté en automne.

CERCIS

Genre comprenant de petits arbres caducs reconnaissables à leurs feuilles arrondies, alternes et à leurs petites fleurs qui naissent par groupes sur les rameaux et les branches encore dépourvues de feuilles. Ils exigent une situation saine et très ensoleillée; leur reprise est capricieuse et ils doivent être plantés de préférence en jeunes sujets.

Cercis siliquastrum

P

Arbre de Judas qui selon la légende se serait pendu à ses branches ou Arbre de Judée, d'après sa région d'origine, le *Cercis* est apprécié pour ses nombreuses fleurs rose vif qui couvrent sa ramure, à la fin d'avril et au début de mai, avant l'apparition des feuilles; des gousses rougeâtres, aplaties, qui persistent pendant tout l'hiver, leur succèdent. L'arbre de Judée aime le plein soleil, c'est l'une des meilleures espèces pour les sols calcaires et secs; en outre il supporte les températures extrêmes: étés arides et chauds, hivers froids.

Cercis siliquastrum. Détail des fleurs en mai.

Cercis siliquastrum. Un exemplaire séculaire dans une ville du Midi.

ARBRES ORNEMENTAUX POUR VOTRE JARDIN

Arbres pleureurs

Alnus incana ' Pendula '
Betula verrucosa ' Dalecarlica '
Betula verrucosa ' Tristis '
Betula verrucosa ' Youngii '
Cotoneaster · Hybridus Pendulus '
Crataegus monogyna ' Pendula '
Crataegus monogyna ' Pendula Rosea '
Fagus sylvatica ' Pendula '
Fagus sylvatica ' Purpurea Pendula '
Fraxinus excelsior ' Pendula '
Ilex aquifolium 'Argentea Pendula'
Ilex aquifolium ' Pendula '
Morus alba ' Pendula '
Populus tremula ' Pendula '

Prunus ' Kiku-shidare Sakura '
Prunus persica ' Crimson Cascade '
Prunus persica ' Windle Weeping '
Prunus subhirtella ' Pendula Rosea '
Prunus subhirtella ' Pendula Rubra '
Pyrus salicifolia ' Pendula '
Salix caprea ' Pendula '
Salix x chrysocoma
Salix matsudana ' Pendula '
Salix purpurea ' Pendula '
Sophora japonica ' Pendula '
Tilia petiolaris
Ulmus glabra ' Camperdownii '
Ulmus glabra ' Pendula '

Arbres à port érigé

Acer platanoides ' Columnare '
Acer pseudoplatanus ' Erectum '
Acer rubrum ' Scanlon '
Betula verrucosa ' Fastigiata '
Carpinus betulus ' Fastigiata '
Carpinus betulus ' Columnaris '
Crataegus monogyna ' Stricta '
Eucryphia x intermedia
Eucryphia milliganii
Eucryphia x nymansensis ' Nymansay '
Fagus sylvatica ' Dawyck '
Ilex
Koelreuteria paniculata ' Fastigiata '
Liriodendron tulipifera ' Fastigiatum '
Malus tschonoskii
Malus ' Van Eseltine '

Populus nigra ' Italica '
Populus nigra ' Plantierensis '
Prunus x hillieri ' Spire '
Prunus ' Amanogawa '
Quercus robur ' Fastigiata '
Salix matsudana ' Tortuosa '
Salix purpurea ' Eugenei '
Sorbus aucuparia ' Fastigiata '
Sorbus x thuringiaca ' Fastigiata '
Ulmus angustifolia ' Cornubiensis '
Ulmus glabra ' Exoniensis '
Ulmus carpinifolia ' Dampieri '
Ulmus carpinifolia ' Wredei '
Ulmus carpinifolia 'Sarniensis'
Ulmus carpinifolia 'Sarniensis Dicksonii'
Zelkova carpinifolia

Écorce ou rameaux décoratifs

Acer capillipes
Acer davidii
Acer griseum
Acer lobelii
Acer negundo ' Elegans '
Acer pennsylvanicum
Arbutus x andrachnoides
Betula
Eucalyptus
Fraxinus excelsior ' Jaspidea '
Parrotia persica
Platanus

Prunus serrula
Salix alba ' Chermesina '
Salix alba ' Vitellina '
Salix x chrysocoma
Salix daphnoides
Sorbus aucuparia ' Beissneri '
Stewartia koreana
Stewartia pseudocamellia
Tilia platyphyllos ' Rubra '
Zelkova carpinifolia
Zelkova serrata

Feuilles particulièrement ornementales

Aesculus indica
Ailanthus altissima
Aralia elata
Catalpa
Idesia polycarpa
Juglans nigra
Magnolia acuminata
Magnolia grandiflora
Morus alba ' Pendula '

Paulownia tomentosa
Platanus
Populus lasiocarpa
Pterocarya fraxinifolia
Quercus velutina ' Rubrifolia '
Rhus typhina
Sorbus cuspidata
Styrax obassia

CORNUS

Genre important d'arbres et d'arbustes à feuilles caduques, généralement opposées, cultivés pour leurs fleurs, leurs fruits, leur feuillage ou leurs jeunes rameaux à écorce colorée.

Cornus controversa

M

Originaire de Chine et du Japon, ce beau cornouiller produit des branches verticillées, étalées presque horizontalement et disposées par étages; ses feuilles alternes deviennent jaunes ou rouge pourpre en automne. En juin, il se couvre de bouquets aplatis de petites fleurs blanc crème, suivies de baies bleu foncé. Son cultivar 'Variegata' est l'un des plus remarquables arbres rustiques à feuillage panaché; ses feuilles relativement étroites sont marquées d'une brillante panachure blanc crème. Il est moins vigoureux que le type.

Cornus controversa 'Variegata'.
Jeune sujet de l'un des plus beaux arbres panachés.

Cornus controversa. Arbre de 17 ans aux branches étagées.

Cornus kousa. Bractées groupées en forme d'étoile en mai-juin.

Cornus kousa

P

Espèce également originaire d'Extrême-Orient, très intéressante pour les petits jardins et séduisante quand ses branches largement étalées sont couvertes par ses inflorescences entourées de belles bractées blanches en forme d'étoile. La floraison se produit en mai et au début de juin; les fruits ressemblent à des fraises, ils sont mangeables, mais insipides. A l'automne, les feuilles prennent de riches teintes bronzées ou cramoisies. Au soleil ou à mi-ombre, la plante apprécie les terrains frais et bien drainés, mais ne supporte pas le calcaire.

Cornus nuttallii

MP

Cet arbre de l'ouest des Etats-Unis est considéré comme l'une des plus belles essences à floraison ornementale.

Comme chez l'espèce précédente, ce sont les grandes bractées blanc crème entourant l'inflorescence qui constituent la partie décorative de l'arbre; les feuilles deviennent jaunes et parfois rouges en automne. *Cornus nuttallii* fleurit en jeunes sujets, il aime les situations bien éclairées, abritées et les sols frais, il craint le calcaire. Sa vie est relativement courte, 25 à 30 ans. Il est déconseillé pour les régions au climat froid.

Cornus nuttallii.
Arbre de 17 ans en pleine floraison.

Cornus nuttallii.
Fleurs dont les pétales sont, en réalité, de larges bractées.

CORYLUS

Arbres et arbrisseaux à feuillage caduc, rustiques et faciles à cultiver dans la plupart des sols.

Corylus colurna

MG

Le noisetier de Byzance se rencontre surtout dans les grands jardins et dans les parcs où l'on apprécie son port majestueux et régulier, l'écorce liégeuse et écailleuse, gris pâle, de son tronc, ainsi que les longs chatons jaunes qui pendent de ses branches, à la fin de l'hiver. Il mériterait une plus large place comme arbre d'alignement.

Corylus colurna.
Jeune sujet montrant
le port conique de l'espèce.

CHOIX D'ARBRES POUR DIFFÉRENTES SITUATIONS

Zones industrielles	Acer (sauf A. japonicum) Ailanthus altissima Alnus Amelanchier lamarckii Betula Carpinus betulus & cvs. Catalpa bignonioides Catalpa x erubescens ' Purpurea ' Crataegus Davidia involucrata Eucalyptus	Fraxinus Ilex Laburnum Ligustrum lucidum Liriodendron tulipifera Magnolia acuminata Magnolia x loebneri ' Leonard Messel ' Malus Platanus Populus	Prunus Pterocarya fraxinifolia Pyrus Quercus x hispanica'Lucombeana' Quercus ilex Quercus x turneri Rhus Robinia Salix Sorbus Tilia
Zones littorales	Arbutus unedo Castanea sativa Crataegus Eucalyptus Fraxinus	Laurus nobilis Phillyrea latifolia Populus alba Populus tremula Quercus cerris	Quercus ilex Quercus robur & cvs. Quercus x turneri Salix Sorbus (sauf meliosmifolia)
Régions froides	Acer pseudoplatanus Betula Crataegus Fagus sylvatica & cvs. Fraxinus excelsior Laburnum	Populus ' Robusta ' Populus 'Serotina Aurea' Populus tremula Quercus robur Sorbus aria	Sorbus aucuparia Sorbus hybrida Sorbus intermedia Tilia cordata Ulmus

Arbres persistants	Arbutus x andrachnoides
	Arbutus unedo
	Drimys winteri
	Eucalyptus
	Eucryphia x intermedia
	Eucryphia milliganii
	Eucryphia x nymansensis
	      ' Nymansay '
		Ilex
		Ilex x altaclarensis
		Ilex aquifolium
		Laurus nobilis
		Ligustrum lucidum
		Magnolia grandiflora
		Nothofagus betuloides
		Phillyrea latifolia
			Prunus lusitanica
			Quercus canariensis
			    (semi-persistant)
			Quercus x hispanica 'Lucombeana'
			    (semi-persistant)
			Quercus ilex
			Quercus x turneri (semi-persistant)

COTONEASTER

Genre important comprenant principalement des arbustes, mais aussi des espèces arborescentes, faciles à élever sur une seule tige. Les Cotoneaster sont rustiques et faciles à cultiver dans tous les sols; ils se couvrent de fleurs blanches en mai ou en juin.

Cotoneaster frigidus. Excellent petit arbre.

Cotoneaster 'Hybridus Pendulus' *ou* 'Pendulus'. *Parfait pour les plus petits jardins, présenté ici avec ses fruits d'automne.*

Cotoneaster frigidus

P

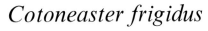

Originaire de l'Himalaya, cette espèce à feuilles caduques convient bien dans les petits jardins, notamment dans les jardins urbains; elle forme une cime arrondie garnie de feuilles ovales, relativement grandes; ses gros bouquets de baies cramoisies, qui font ployer les branches sous leur poids, à l'automne, persistent tout l'hiver.

Cotoneaster x watereri

P

On désigne sous ce nom plusieurs hybrides entre *C. frigidus* et *C. salicifolius* ou *C. henryanus;* leurs feuilles sont généralement demi-persistantes, leurs fruits abondants sont rouges chez 'Cornubia' et 'St Monica' et jaunes chez 'Rothschildianus'; 'Pendulus' (syn. 'Hybridus Pendulus') possède des feuilles presque persistantes et des rameaux retombants et raides qui lui donnent l'apparence d'un petit arbre pleureur; il se couvre de petites baies rouges à partir de l'automne. Il est très recommandable pour les jardinets. On l'obtient en le greffant à hauteur sur une tige de *Cotoneaster* ou de *Crataegus*.

CRATAEGUS

Ce genre qu'on désigne sous les noms d'épines et d'aubépines comprend un grand nombre d'espèces à feuilles caduques: petits arbres épineux, robustes, de culture facile. Leur grande faculté d'adaptation les désigne pour les sols médiocres et pauvres où d'autres espèces poussent mal; en dehors de leurs qualités culturales, certains Crataegus ont une grande valeur ornementale et méritent d'être plantés isolément.

Crataegus laciniata. Fruits en automne

Crataegus monogyna 'Stricta'. Jeune arbre au port érigé.

Crataegus crus-galli

P

L'épine ergot de coq forme une cime étalée pourvue de longues et fortes épines et de feuilles lustrées qui deviennent orangées et rouges en automne; aux fleurs blanches, qui s'épanouissent en mai, succèdent des fruits rouges de 1 cm de diamètre qui persistent au-delà du Nouvel An.

Crataegus laciniata

P

Les feuilles profondément découpées, vert grisâtre et tomenteuses de l'épine d'Orient sont le fond sur lequel se détachent, à la fin de mai, des fleurs blanches, bientôt remplacées par des fruits duveteux rouges ou rouge orangé. Ce petit arbre à ramure arrondie et à branches presque dépourvues d'épines se trouve à sa place dans les petits jardins.

Crataegus × lavallei

P

Ce bel hybride entre *C. crus-galli* et *C. stipulacea* forme une cime touffue étalée; ses feuilles vert foncé vernissées ne tombent qu'au début de décembre; ses fruits relativement gros, de 15 mm de diamètre, succèdent à des fleurs assez grandes; ils sont rouge brique ou rouge orangé et persistent tout l'hiver. C'est un arbre d'alignement de valeur et peu encombrant.

Crataegus crus-galli. Petit arbre convenant pour tous jardins.

Crataegus x lavallei. Petit arbre dont les feuilles et les fruits persistent longtemps.

Crataegus oxyacantha 'Paul's Scarlet' *(rouge) et Crataegus oxyacantha* 'Rosea Flore Pleno' *(rose) : un spectacle inoubliable au printemps.*

Crataegus monogyna

P

L'aubépine indigène ou «mai» n'a pas besoin d'être présentée; elle est répandue dans la plupart de nos campagnes, qu'il s'agisse de haies naturelles ou de clôtures. Les fleurs blanches de l'aubépine s'épanouissent en mai (d'où son nom commun), elles répandent une odeur caractéristique. L'aubépine est l'un des rares arbres capables de prospérer à la fois dans les terres calcaires et dans les sols fortement acides, secs ou humides et de résister aux expositions défavorables et à la pollution atmosphérique. Il a donné plusieurs cultivars: 'Pendula' à branches retombantes et 'Stricta', au port en colonne, très indiqué pour les situations exposées aux vents et pour les petits jardins.

Crataegus tanacetifolia.
Une aubépine rare, mais remarquable.

Crataegus oxyacantha
'Paul's Scarlet'

P

Ce cultivar à fleurs doubles rouges provient d'une mutation de l'aubépine double rose découverte dans un jardin du Hertfordshire en 1858; il est très répandu dans les jardins et le mérite bien; c'est un très bel arbre.

Crataegus prunifolia.
Couleurs d'automne.

Crataegus prunifolia. Fruits en automne.

Crataegus prunifolia

P

Voisin du *C. crus-galli*, le *C. prunifolia* est parfois considéré comme un de ses hybrides. Peu répandu en France, il est couramment planté en Grande-Bretagne où l'on apprécie sa cime arrondie et régulière, son beau feuillage lustré et ses fleurs blanches, à la fin de mai. En automne, ses feuilles se teintent d'orange et de rouge flamme alors que ses bouquets de fruits commencent à rougir.

Crataegus tanacetifolia

P

Originaire d'Asie Mineure, cette épine est peu répandue; elle est cependant très décorative par ses feuilles grisâtres, tomenteuses, profondément découpées, insérées sur des rameaux presque inermes, par ses fleurs relativement grandes, blanches et odorantes auxquelles succèdent des fruits jaunes, semblables à des pommes miniatures.

DAVIDIA

Il existe une seule espèce de Davidia *rustique et capable de prospérer dans un grand nombre de sols. Elle préfère cependant ceux qui conservent une certaine fraîcheur, sans être exagérément calcaires.*

Davidia involucrata

M

Arbre vigoureux dont les feuilles cordiformes duveteuses dessous rappellent celles du tilleul, mais avec des nervures plus marquées. En mai, peu après l'apparition des premières feuilles, se montrent les fleurs réunies en glomérules longuement pédonculés; elles sont dépourvues de pétales et sont accompagnées de deux grandes bractées blanches, de taille inégale, qui font penser à des mouchoirs suspendus aux branches. Cette disposition vaut au *Davidia* les noms communs d'«arbre aux mouchoirs» ou d'«arbre aux pochettes». Les fleurs produisent des fruits vert foncé, de la grosseur d'une prune et qui demeurent sur l'arbre après la chute des feuilles.

Ce bel arbre a été découvert en Chine centrale, vers 1869, par un missionnaire français, le père David, auquel il a été dédié. La variété *vilmoriniana* qui diffère principalement du type par ses feuilles presque totalement glabres est un peu plus commun que lui en culture, bien qu'il ne soit cependant pas très répandu. Les *Davidia* ne fleurissent qu'à partir de l'âge de 10 à 12 ans.

Davidia involucrata. L'arbre aux mouchoirs, si bien nommé.

DRIMYS

Arbres et arbustes persistants qui comptent au moins une espèce de rusticité satisfaisante dans les régions méridionales et tempérées des Iles Britanniques ainsi que dans l'ouest et le sud de la France. C'est un bel arbre, de croissance rapide; il mérite de figurer dans cet ouvrage à l'intention des amateurs de raretés.

Drimys winteri

M

Le principal intérêt de cette espèce originaire d'Amérique du Sud réside dans ses grandes feuilles coriaces, longues d'une vingtaine de centimètres, d'un vert clair brillant, glauques dessous et qui répandent une odeur aromatique lorsqu'on les froisse. Ses fleurs, parfumées, blanc ivoire, réunies en bouquets lâches, apparaissent en mai sur les sujets d'un certain âge. L'écorce du tronc, fortement aromatique, était autrefois utilisée par les marins comme condiment pour masquer la saveur des aliments éventés par une longue conservation et aussi comme remède contre le scorbut.

Drimys winteri. Un joli persistant pour régions tempérées.

EMBOTHRIUM

Peu d'arbres sont aussi remarquables que les Embothrium en fleurs. Ce sont des végétaux de croissance rapide qui réclament des terrains frais, mais bien drainés, en plein soleil, pour produire tout leur effet. Ils ne supportent pas le calcaire dans le sol. Leur reprise est aléatoire, il est préférable de planter de jeunes sujets élevés en containers.

Embothrium coccineum

P

En mai, un *Embothrium* adulte en pleine floraison attire l'attention à plus d'un kilomètre de distance; ses branches garnies de feuilles persistantes coriaces et vernissées sont alors couvertes à profusion de fleurs tubuleuses écarlate orangé et cramoisi intense. Originaire du Chili, l'arbre se présente sous plusieurs formes d'aspect et de rusticité différentes: celles vendues sous les noms de 'lanceolatum' et de 'Norquinco Valley' sont les plus rustiques. Réussissant dans les parties les plus douces de Cornouailles et du sud-ouest de l'Irlande, elles devraient également prospérer dans les stations abritées et chaudes du littoral atlantique et méditerranéen.

Embothrium coccineum, aux fleurs d'un rouge éclatant.

Eucalyptus dalrympleana. Arbre de 17 ans s'élançant vers le ciel dans l'arboretum de Jermyns, près de Windsor (Angleterre).

EUCALYPTUS

Les Eucalyptus *forment un vaste genre groupant plusieurs centaines d'espèces presque toutes originaires d'Australie. Ce sont des arbres de croissance très rapide, à feuillage persistant caractéristique et à écorce souvent lamelleuse; ils confèrent aux scènes paysagères une touche d'exotisme. Un petit nombre d'entre eux seulement sont suffisamment rustiques pour être cultivés en plein air dans les zones les plus tempérées de notre pays; jusqu'à présent aucun ne présente d'intérêt forestier en France. Ils prospèrent dans la plupart des sols, sauf dans les terres très calcaires et sèches;* E. parvifolia *et* E. dalrympleana *sont les deux espèces qui résistent cependant le mieux à ces conditions défavorables. D'une reprise délicate, ils doivent être plantés en jeunes sujets qui ont été élevés en pots ou en containers. Les feuilles des jeunes arbres et celles des arbres adultes ont souvent une taille et une forme différentes.*
Les espèces d'eucalyptus décrites ci-après ont des fleurs blanches en été.

Eucalyptus niphophila. Arbre de 11 ans. Un des plus petits Eucalyptus, idéal pour jardins exigus.

Eucalyptus coccifera

G

Une des espèces les plus rustiques. Son écorce est grise avec des taches blanches et ses feuilles adultes gris argenté.

Eucalyptus dalrympleana

G

Arbre élégant, élancé, dont l'écorce est formée de plages blanc crème, brunes et grises, comme celle du platane; ses feuilles en forme de faux, de couleur vert grisâtre, sont bronzées à l'état jeune. Rustique dans le sud et l'ouest des Iles Britanniques et par conséquent dans les régions de climat analogue, en France; il supporte assez bien le calcaire.

Eucalyptus gunnii

G

Le plus populaire et le plus répandu des eucalyptus cultivés en Grande-Bretagne. Son jeune feuillage bleu argenté laisse place aux feuilles adultes, en forme de faucille, gris verdâtre. Son écorce est tachée de blanc crème, de gris, de vert et de brun.

Eucalyptus niphophila

P

Cette espèce est probablement la plus indiquée pour les petits jardins, car sa taille qui excède rarement 10 m est le plus souvent comprise entre 4 et 6 m. A ses jeunes feuilles vert franc succèdent des feuilles gris-vert, en forme de faux, que portent des pousses couvertes d'une pruine attrayante, blanc argenté. L'écorce de son tronc, grise, blanc crème et verte est également séduisante. Cet eucalyptus, d'origine montagnarde, paraît le plus rustique de tous ceux cultivés en Europe; on le rencontre jusqu'en Ecosse.

Eucalyptus parvifolia

MP

Espèce rustique qui tolère le mieux les sols calcaires. Ecorce lisse et grise; feuilles adultes petites et étroites, grisâtres. Vient bien en touffes formées de plusieurs tiges.

Eucalyptus gunnii. Un remarquable spécimen, au tronc ramifié, dans le jardin botanique d'Edimbourg (Ecosse).

Eucalyptus gunnii. Sujet ayant encore son feuillage juvénile.

Eucalyptus niphophila.
Détail de l'écorce qui ressemble à la peau d'un python.

Eucryphia glutinosa. Détail de fleurs.

Eucryphia x intermedia. Détail de fleurs.

Eucryphia x intermedia. Fleurs en juillet-août.

EUCRYPHIA

Beaux arbres dont la floraison se produit en été. Ils se plaisent particulièrement bien dans les terrains frais et sains, non calcaires, en situation abritée des vents et des courants d'air, mais bien éclairés et ensoleillés; ils redoutent le dessèchement des racines et le sol où ils se trouvent ne doit pas être exposé aux rayons directs du soleil: un paillis de mousse et d'aiguilles de pin leur est bénéfique.

Eucryphia glutinosa

P

Cette espèce, qui se présente le plus souvent sous la forme d'un grand buisson, est la plus intéressante du genre. Ses feuilles caduques, divisées en 3 ou 5 folioles luisantes, vert foncé, deviennent orangées ou rouges en automne; ses fleurs blanches avec des étamines jaunes atteignent 6 cm de diamètre: elles ressemblent à des roses simples et apparaissent en grand nombre en juillet. C'est l'espèce la moins exigeante sur la nature du sol.

Eucryphia × intermedia

P

Hybride entre *E. glutinosa* et *E. lucida,* de végétation vigoureuse, à branches élancées garnies de feuilles persistantes simples ou à trois folioles, il produit en juillet-août de très nombreuses fleurs blanches à étamines jaunes, plus petites que celles de *E. glutinosa.*

Eucryphia milliganii

P

Belle espèce à port étroitement érigé en jeunes exemplaires, à feuillage élégant, persistant et à fleurs semblables à celles du précédent mais plus petites. Originaire de Tasmanie, elle constitue de charmants arbres miniatures pour jardinets ombragés.

Eucryphia × nymansensis 'Nymansay'

MP

Arbre remarquable lorsqu'il est en fleurs. Il forme une large colonne garnie de feuilles persistantes, simples ou composées, vert foncé, et de fleurs blanc pur à étamines jaunes de 6 cm de diamètre en juillet-août. Il provient du croisement entre *E. glutinosa* et *E. cordifolia;* peu rustique, il caractérise de nombreux jardins dans le sud et l'ouest de l'Angleterre. Il devrait se plaire dans les régions au climat doux de l'Ouest et du Midi.

FAGUS

Ce sont les plus beaux arbres rustiques, caducs et de grande taille de notre hémisphère.

Fagus sylvatica

G

Le hêtre commun ou fayard est un arbre magnifique: son port majestueux, son fût semblable à une énorme colonne grise, son feuillage vert tendre au printemps qui tourne au jaune d'or à l'arrière-saison, tout concourt à en faire un des plus beaux ornements de nos forêts. Dans un parc, on ne peut rien souhaiter de mieux qu'un grand hêtre, de belle forme, planté en isolé. L'espèce s'accommode de la plupart des sols et réussit particulièrement bien dans les terrains meubles, filtrants et frais, même calcaires; elle vient moins bien dans les terres compactes et humides. Le hêtre aime une atmosphère humide qu'il trouve seulement en altitude dans le Midi. En raison de son enracinement superficiel et de son ombre épaisse, il admet peu de plantes sous son couvert.

Il a produit un certain nombre de cultivars remarquables:

Fagus sylvatica 'Asplenifolia'

G

Le hêtre à feuilles de fougères a un aspect très gracieux par ses feuilles profondément lobées et découpées.

Fagus sylvatica 'Dawyck'

G

Appelé aussi 'Fastigiata', cet arbre, très élancé dans sa jeunesse, devient graduellement plus large et forme une imposante colonne qui prend en automne une teinte jaune cuivré.

Fagus sylvatica 'Pendula'

MG

Magnifique arbre pleureur, dont les grandes branches arquées et retombantes forment souvent un vaste dôme.

Fagus sylvatica 'Dawyck'. *Arbre de 18 ans au printemps.*

Fagus sylvatica 'Pendula'. Spécimen splendide au bord de l'eau.

Fagus sylvatica purpurea. Le hêtre pourpre.

Fagus sylvatica.

Fagus sylvatica 'Purpurea Pendula'. *Pour petits jardins.*
Fagus sylvatica 'Pendula'. *Un des grands arbres pleureurs.*

Fagus sylvatica purpurea

G

La dénomination générale de «hêtre pourpre» recouvre plusieurs formes parmi lesquelles on a sélectionné 'Atropunicea' et 'Riversii', pourpre foncé et 'Cuprea', plus pâle; tous sont très populaires et répandus.

Fagus sylvatica 'Purpurea Pendula'

P

C'est un petit arbre à cime en forme de champignon, très régulière, avec des branches fortement retombantes et des feuilles pourpre foncé.

Fagus sylvatica 'Zlatia'

M

Le hêtre doré, de vigueur moyenne, a des feuilles jaune pâle au printemps qui deviennent jaune d'or en fin de saison.

Fagus sylvatica 'Zlatia'.
Le hêtre doré présente son plus beau coloris au printemps.

FRAXINUS

Arbres robustes, de croissance rapide, dont les feuilles opposées sont composées pennées et les fleurs petites, de peu d'intérêt, sauf dans le groupe Ornus. Ils s'accommodent de la plupart des sols et des situations y compris l'atmosphère polluée par les fumées, les vents violents et le voisinage de la mer.

Fraxinus ornus. Le frêne à fleurs est un arbre attrayant, à cime arrondie.

Fraxinus excelsior 'Pendula'. *Un jeune arbre.*

Fraxinus excelsior

G

Le frêne commun est une espèce indigène, facile à reconnaître par son écorce grisâtre, rugueuse et sillonnée, par ses rameaux gris et ses bourgeons noirs et veloutés. Ses fruits sont des samares suspendues aux branches pendant l'été et l'automne. Il est vigoureux, surtout dans les terrains frais, mais ses racines voraces gênent les plantations voisines dans les petits jardins où il ne convient pas. Parmi ses cultivars, on peut citer : 'Jaspidea', clone vigoureux de la variété 'Aurea' ; ses rameaux dorés sont décoratifs pendant l'hiver, son feuillage vire au jaune clair en automne ; 'Pendula', un des arbres pleureurs les plus communs ; sa cime globuleuse formée de branches divergentes et retombantes le désigne pour constituer des tonnelles ; il est vigoureux bien qu'il n'atteigne pas de très grandes dimensions.

Fraxinus ornus

M

Originaire de l'Europe méridionale et de l'Asie Mineure, le frêne à fleurs ou frêne à manne ressemble au précédent, mais il donne d'abondantes panicules de petites fleurs blanches, en mai. Arbre élégant, à cime arrondie et dense ; on tire une substance sucrée de sa sève.

Fraxinus oxycarpa 'Raywood'

G

Relativement étroit et compact en jeunes exemplaires, le frêne pourpre s'élargit à l'âge adulte et exige alors une place importante ; ses feuilles à folioles étroites prennent à l'automne une splendide couleur rouge bordeaux, particulièrement accusée en plein soleil et dans les terrains secs ou bien drainés.

Fraxinus excelsior 'Jaspidea'. *Magnifique spécimen à Kew Gardens (Angleterre), en automne.*

Fraxinus excelsior 'Pendula'. *Un remarquable spécimen, d'une grande vigueur.*

Fraxinus velutina

MP

Le frêne de l'Arizona est l'un des arbres qui supportent le mieux la chaleur et le froid intenses, les températures extrêmes, ce qui explique sa parfaite réussite dans le nord de l'Iran. En Grande-Bretagne, il se plaît mieux dans la moitié est du pays que dans l'ouest. Ses jeunes pousses et ses feuilles sont couvertes d'un duvet velouté gris; à l'automne, ses feuilles se colorent en jaune beurre. Cette espèce est originaire du sud des Etats-Unis et du nord du Mexique.

Fraxinus velutina.
Espèce résistant aux températures extrêmes.

70

GLEDITSIA

Le trait le plus caractéristique de ces arbres à feuilles caduques réside dans les fortes et grandes épines souvent ramifiées qui garnissent le tronc et les branches et leur constituent une armure efficace. Leurs feuilles composées sont formées de folioles fines et nombreuses qui leur donnent l'aspect de frondes de fougères. Aux fleurs verdâtres, insignifiantes, succèdent de grandes gousses aplaties.

Les Gleditsia croissent rapidement, ils s'accommodent de tous les sols, à l'exception des sols marécageux, et de toutes les situations; ils préfèrent cependant les lieux secs et ensoleillés.

Gleditsia triacanthos 'Sunburst'. *Les jeunes pousses se colorent en jaune vif.*

Gleditsia triacanthos

G

Arbre de valeur pour les grands jardins et les parcs des villes, en particulier dans celles où l'atmosphère est polluée. Son tronc droit, puissant, son feuillage léger devenant jaune en automne et ses larges gousses aplaties, souvent contournées, pouvant dépasser 30 cm de longueur en font un arbre très décoratif, prospérant partout en France, surtout dans les régions méridionales. Il est originaire des Etats-Unis. Parmi ses cultivars, on peut citer: 'Moraine', inerme, port pyramidal; 'Pendula' ou 'Bujoti', ses rameaux effilés retombants, feuilles très fines; 'Shademaster', inerme, pyramidal, très vigoureux; 'Sunburst', inerme, port dressé, jeunes pousses et feuillage doré toute l'année.

HOHERIA

Petits arbres à feuilles caduques ou persistantes, originaires de Nouvelle-Zélande. Ils se plaisent dans les régions les plus tempérées des Iles Britanniques où ils fleurissent pendant l'été.

Hoheria sexstylosa

P

Cette espèce vigoureuse, de port dressé, a des feuilles persistantes, dentelées, coriaces, brillantes et des fleurs blanches de 2 cm de diamètre, très abondantes, en juillet-août; elle demande l'abri d'un mur, sauf dans les situations les plus chaudes. Elle mérite une place dans les jardins des collectionneurs.

Hoheria sexstylosa.
Très décoratif et vigoureux en bonne situation.

IDESIA

Genre comportant une seule espèce qui se plaît dans les sols frais, mais bien drainés.

Idesia polycarpa

M

Introduit du Japon, *Idesia* est également spontané en Chine; il est caractérisé par de belles et grandes feuilles cordiformes, épaisses, vert foncé dessus, glauques dessous, et par des fleurs insignifiantes, jaune verdâtre, odorantes, auxquelles succèdent sur les sujets femelles des bouquets de baies de la taille d'un pois, d'abord vertes puis rouge foncé. La présence d'arbres des deux sexes est nécessaire pour la formation des fruits; il faut aussi un été suffisamment chaud pour qu'ils mûrissent et acquièrent leur belle coloration rouge.

Idesia polycarpa.
Séduisant par son joli feuillage.

ILEX

Les houx comprennent à la fois des espèces persistantes et des espèces caduques, certaines d'entre elles ne rappelant guère par leur aspect le houx commun qui nous est si familier. Leurs fleurs sont ordinairement unisexuées et les fleurs mâles et les fleurs femelles portées par des sujets différents; dans les régions où les houx spontanés ou cultivés sont communs, la fructification se produit aisément, sans précautions particulières.

Les houx s'accommodent de la plupart des sols et des conditions extérieures, y compris la pollution atmosphérique et les vents marins. La plupart d'entre eux forment des cônes ou des colonnes de haute taille qui peuvent être taillés dans le courant de l'été, s'ils se montrent très vigoureux; on peut également leur donner une forme régulière à l'aide du sécateur, à la même époque. Ils tolèrent l'ombre, mais leur port devient alors moins compact, leur aspect moins soigné et leur fructification moins abondante.

Ilex × *altaclarensis*

MP

Ce nom recouvre de nombreux hybrides entre le houx commun, *Ilex aquifolium* et *Ilex perado*; ce sont des arbres persistants de croissance relativement rapide, mais un peu moins rustiques que les cultivars de *I. aquifolium;* ils peuvent subir des dommages pendant l'hiver, sous les climats rigoureux. Les cultivars suivants sont les plus intéressants.

Ilex × 'Camelliifolia'

MP

Arbre superbe lorsqu'il est cultivé dans de bonnes conditions. Jeunes pousses pourpres, feuilles amples, vert lustré, presque dépourvues d'épines. Ses gros fruits rouges, abondants, donnent un attrait supplémentaire à cette variété, déjà remarquable par son joli feuillage, bien fourni.

Ilex × 'Golden King'

MP

Un des plus beaux houx panachés de jaune. Arbre vigoureux dont les feuilles peu épineuses, luisantes, sont bordées d'une large et brillante marge jaune d'or; il produit beaucoup d'effet, qu'il soit ou non garni de ses fruits rouges, assez gros.

Ilex × 'Hodginsii'

MG

Peu répandu en France, ce houx est très commun en Grande-Bretagne, notamment dans le nord du pays où il est apprécié dans les zones industrielles et sur le littoral. C'est une forme mâle, de forte vigueur, à grandes feuilles arrondies, vert foncé, plus ou moins épineuses selon l'âge des plantes, les sujets âgés ayant des feuilles presque inermes.

Ilex × 'Lawsoniana'

MP

Voisin du précédent, mais de sexe femelle, ce cultivar porte des feuilles amples, peu épineuses, marquées de larges taches jaune d'or. Il a malheureusement tendance à produire des pousses à feuilles entièrement vertes qu'il faut supprimer soigneusement dès leur apparition.

Ilex × 'Silver Sentinel'

MP

Ce houx femelle vigoureux, de port érigé et de belles proportions, est garni de longues feuilles, presque sans épines, vert foncé, marbrées de vert pâle et de vert grisâtre avec une marge blanc crème très nette. La panachure des jeunes plantes est plutôt jaune que blanche, surtout pendant l'hiver.

Ilex aquifolium

MP

Le houx commun est l'un des persistants les plus populaires. C'est un arbre magnifique, aux qualités exceptionnelles; il s'accommode de toutes les situations et de presque tous les sols. Il se présente comme un grand arbrisseau ou un petit arbre, capable d'atteindre une quinzaine de mètres de hauteur dans des circonstances favorables. Son joli feuillage, vert foncé vernissé, est attrayant, ainsi que ses fruits rouges qui garnissent les sujets femelles en automne et en hiver et qui sont traditionnellement associés aux fêtes de Noël. Originaire d'Europe, d'Afrique du Nord et d'Asie occidentale, le houx commun a produit de nombreux cultivars, différents les uns des autres par leur port, leur rusticité, la forme et la couleur de leurs feuilles et l'abondance de leur fructification.

Ilex x altaclarensis 'Golden King'.

Ilex aquifolium 'Madame Briot'. *Un des meilleurs houx panachés, fructifiant en abondance.*

Ilex altaclarensis. Un houx robuste.

Ilex aquifolium 'Aureo Medio Picta'.

Ilex aquifolium 'Bacciflava'. *Le houx à fruits jaunes.*

Ilex aquifolium 'Handsworth New Silver'.

Ilex aquifolium 'Albomarginata'

M
Variété à feuilles marginées de blanc argenté; on cultive surtout un clone femelle, très fructifère.

Ilex aquifolium 'Argentea Pendula'

P
Ce joli houx forme une large cime globuleuse, aux branches retombantes garnies de feuilles marginées de blanc argenté et de fruits abondants.

Ilex aquifolium 'Aureo Marginata'

M
Représenté par plusieurs clones, mâles ou femelles, tous caractérisés par des feuilles à large marge jaune d'or.

Ilex aquifolium 'Aureo Medio Picta'

P
Remarquable cultivar dans lequel les feuilles, fortement épineuses, sont marquées en leur milieu d'une large tache dorée. Le clone mâle est connu sous le nom de 'Golden Milkboy', le clone femelle sous celui de 'Golden Milkmaid'.

Ilex aquifolium 'Bacciflava'

M
Cette variété, à feuilles épineuses, vert foncé, porte des fruits jaune vif.

Ilex aquifolium 'Golden Queen'

MP
Probablement le plus beau des houx panachés, avec ses grandes feuilles nettement épineuses, vert foncé, marbrées et nuancées de vert pâle et de gris et largement marginées de jaune. Il s'agit d'un clone mâle qui ne produit donc pas de fruits.

Ilex aquifolium 'Argentea Pendula'. *Un splendide spécimen.*

Ilex x altaclarensis 'Lawsoniana', *aux feuilles très largement panachées.*

75

Ilex aquifolium 'Pendula'. *Le houx pleureur porte aussi des baies abondantes.*

Ilex aquifolium 'Ovata Aurea'.

Ilex aquifolium 'Handsworth New Silver'

MP
Splendide houx à feuilles panachées de blanc; jeunes pousses pourpres, feuilles à marge blanc argenté, relativement étroite; fructifie abondamment.

Ilex aquifolium 'J. C. van Tol'

M
Clone exceptionnel d'origine hollandaise, aux feuilles vert sombre, luisantes; il produit régulièrement un grand nombre de gros fruits rouges: c'est le plus fructifère de tous les houx.

Ilex aquifolium 'Madame Briot'

MP
Clone femelle aux pousses pourpres et aux feuilles très épineuses, vert foncé, bariolées et nuancées de jaune ou de gris avec une marge jaune d'or; il fructifie abondamment.

Ilex aquifolium 'Ovata Aurea'

P
Houx peu répandu mais bien adapté aux petits jardins. Il pousse lentement et forme une cime compacte et régulière; ses pousses sont rouge foncé et ses feuilles dentelées, non épineuses, vert foncé, sont bordées de jaune d'or. C'est un clone mâle.

Ilex aquifolium 'Pendula'

P
Clone femelle à large cime globuleuse et dense, aux branches retombantes garnies de feuilles épineuses vert sombre; il fructifie abondamment.

Ilex aquifolium 'Pyramidalis'

M
Voisin du cultivar 'J.C. van Tol' et l'un des meilleurs houx pour sa fructification, de port conique élancé quand il est jeune, s'élargissant ensuite; ses feuilles, de forme variable, sont souvent dépourvues d'épines. Il fructifie très régulièrement quelles que soient les circonstances.

JUGLANS

Arbres de croissance rapide, aux grandes feuilles caduques, composées. Ils sont accommodants sur la nature du sol et la situation, toutefois il est préférable de les planter dans les lieux où les gelées printanières, auxquelles ils sont sensibles, ne risquent pas d'endommager leurs pousses.

Juglans nigra

G

Le noyer noir ou noyer d'Amérique est un arbre splendide, majestueux et d'une grande vigueur; on le reconnaît aisément à son écorce profondément sillonnée et à ses très grandes feuilles, comportant une vingtaine de folioles. C'est une bonne espèce d'alignement, donnant aussi de remarquables spécimens isolés.

Juglans nigra. Arbre majestueux quand il atteint son plein développement.

KOELREUTERIA

Une seule espèce de Koelreuteria se rencontre dans les jardins.

Koelreuteria paniculata

P
Connu sous le nom commun de savon-
nier, ce gracieux petit arbre rustique, à
cime largement étalée, convient parfaitement pour l'ornementation des parcs et
des jardins de dimensions moyennes. Ses feuilles
caduques et composées, à folioles profondément découpées, lui donnent élégance et légèreté; ses fleurs
jaunes, réunies en grandes panicules terminales,
apparaissent fin juin-juillet, des gousses vésiculeuses
leur succèdent. Le feuillage prend une teinte jaune vif
en automne. Cette espèce, originaire de Chine, se
plaît dans les sols légers et sains, en plein soleil. Son
cultivar 'Fastigiata' qui se développe en une étroite
colonne compacte, est tout indiqué dans les petits
jardins.

Koelreuteria paniculata. Fleurs en juillet.

Koelreuteria paniculata 'Fastigiata'.
Idéal lorsque la place est limitée.

Koelreuteria paniculata. Apprécié pour sa floraison estivale.

LABURNUM

Ce genre comprend seulement trois espèces d'arbres et une espèce d'arbustes à feuilles trifoliolées et à fleurs papilionacées jaunes. Leurs gousses aplaties renferment des graines toxiques: il est préférable de supprimer ces fruits après la floraison. Dans les terrains de jeu, fréquentés par de jeunes enfants, il vaut mieux ne pas planter de Laburnum dont tous les organes, quoique moins dangereux que les graines, sont suspects. De longévité réduite, ils constituent cependant de beaux arbres d'ornement qui s'adaptent aisément à toutes les situations et à tous les sols.

Laburnum 'Vossii'. Un des petits arbres à fleurs les plus valables.

Laburnum alpinum

P

Originaire du sud et du centre de l'Europe, c'est le plus attrayant des cytises à grappes, tant par son port un peu tortueux à l'état adulte que par ses feuilles luisantes, vert foncé, et surtout ses longues grappes pendantes de fleurs qui s'épanouissent fin mai, une quinzaine de jours après *L. anagyroides*.

Laburnum x watereri 'Vossii'

P

Magnifique hybride entre *L. alpinum* et *L. anagyroides;* ses grappes de fleurs atteignent 40 à 50 cm de longueur, au milieu de mai; il produit rarement des fruits et, de ce fait, il est préférable à ses deux parents pour la plantation des espaces verts publics.

LAGERSTROEMIA

Genre comportant surtout des espèces caduques qui demandent des sols sains et des expositions chaudes et ensoleillées.

Lagerstroemia indica, en fleurs, au Sud de la Loire.

Lagerstroemia indica

P

Originaire de Chine et de Corée, le Lagerstroemia se forme indistinctement en
arbrisseau ou en petit arbre; l'écorce du
tronc et des branches principales est mar-
brée et bigarrée de gris, de brun cannelle et de rose;
les feuilles ressemblent à celles du troène, mais elles
sont luisantes et se teintent de rouge et d'orangé en
automne. Les fleurs sont groupées en grandes panicules, à l'extrémité des pousses de l'année; elles apparaissent en juillet-août. Leurs pétales, curieusement
froissés, sont rose lilas, rouges, violacés ou blancs. La
plante montre une bonne rusticité, mais elle ne fleurit
généreusement que sous les climats à étés chauds; elle
ne peut être recommandée que dans le sud et l'ouest
de la France. Dans les autres régions, il lui faut l'abri
d'un mur exposé au midi. Elle ne craint ni la grande
chaleur, ni les arrosages abondants qu'on lui prodi-
gue durant l'été et qui contribuent à l'abondance de
sa floraison.

LAURUS

Ce genre comprend deux espèces d'arbres à feuilles persistantes dont une seulement est répandue.

Laurus nobilis

Laurus nobilis. Attrayant lorsqu'il est en fleurs, en mars.

P Le laurier d'Apollon, originaire des régions méditerranéennes, est un arbre de valeur qui convient pour les plantations soignées dans le voisinage des habitations; ses feuilles coriaces, luisantes et aromatiques sont connues des cuisinières. Moins courants sont ses fruits noirs et brillants, de la grosseur d'une petite cerise, qu'on trouve en été sur les sujets femelles.

Il s'accommode de la plupart des sols, mais sa rusticité est faible dans la région parisienne où il réclame une situation abritée des vents froids et des fortes gelées. Son cultivar 'Aurea' aux feuilles dorées produit surtout de l'effet durant l'hiver et le printemps.

ARBRES POUR PETITS JARDINS

Acer capillipes	Eucryphia glutinosa	Prunus
Acer davidii	Eucryphia x intermedia	Pyrus nivalis
Acer ginnala	Eucryphia milliganii	Pyrus salicifolia ' Pendula '
Acer griseum	Fagus sylvatica ' Purpurea Pendula '	Quercus robur ' Concordia '
Acer japonicum et palmatum	Hoheria sexstylosa	Rhus trichocarpa
Acer pensylvanicum	Ilex aquifolium ' Argentea Pendula '	Rhus typhina
Acer pseudoplatanus ' Brilliantissimum '	Ilex aquifolium ' Aureo Medio Picta '	Robinia x hillieri
Alnus incana ' Pendula '	Ilex aquifolium ' Ovata Aurea '	Robinia pseudoacacia ' Frisia '
Amelanchier lamarckii	Ilex aquifolium ' Pendula '	Robinia pseudoacacia ' Inermis '
Aralia elata	Koelreuteria paniculata ' Fastigiata '	Robinia pseudoacacia ' Rozynskyana '
Betula pendula ' Youngii '	Laburnum alpinum	Robinia pseudoacacia 'Umbraculifera'
Carpinus betulus ' Columnaris '	Laburnum ' Vossii '	Salix aegyptiaca
Cercis siliquastrum	Laurus nobilis	Salix caprea ' Pendula '
Cornus controversa 'Variegata'	Magnolia grandiflora	Salix daphnoides
Cornus kousa	Magnolia x loebneri ' Leonard Messel '	Salix purpurea
Cornus nuttallii	Magnolia virginiana	Sophora japonica ' Pendula '
Cotoneaster frigidus	Malus	Sorbus
Cotoneaster ' Hybridus Pendulus '	Morus alba ' Pendula '	Stewartia koreana
Cotoneaster x watereri	Morus nigra	Stewartia pseudocamellia
Crataegus	Phillyrea latifolia	Styrax japonica
Embothrium coccineum	Populus tremula ' Pendula '	Styrax obassia
Eucalyptus niphophila		Tilia mongolica

LIGUSTRUM

Les troènes renferment des arbres et des arbrisseaux qui s'accommodent de la plupart des sols et des situations. En prononçant leur nom, on pense généralement au Ligustrum ovalifolium, couramment utilisé pour faire des haies, ce qui est dommage, car il existe plusieurs espèces de plus grand mérite, tant pour leur feuillage que pour leur floraison.

Ligustrum lucidum

MP

Bel arbre persistant, provenant de Chine et convenant dans les régions à hivers doux où on l'emploie pour border les rues ou les avenues. Ses grandes feuilles allongées, vert foncé et brillantes, de consistance coriace, habillent richement ses rameaux qui se couronnent en été de panicules de fleurs blanc crème d'un bel effet; les spécimens âgés développent un tronc plissé, gris. 'Excelsum Superbum', (syn. 'Superbum') en est une forme remarquable, aux feuilles panachées et marginées de blanc crème et de jaune. Encore moins rustique que le type, on doit le planter dans un lieu abrité où les vents froids ne risquent pas de griller ses pousses au printemps.

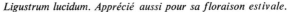

Ligustrum lucidum. Apprécié aussi pour sa floraison estivale.

LIQUIDAMBAR

Arbres à feuilles caduques, généralement à cinq lobes et richement colorées à l'automne; fleurs insignifiantes. Ils prospèrent dans les sols frais, mais sains et redoutent les terres superficielles et calcaires.

Liquidambar styraciflua

G

Originaire des Etats-Unis, cet arbre est vraiment splendide quand ses feuilles agréablement lobées se teintent de pourpre violacé et de cramoisi. On le prend parfois, et à tort, pour un érable, mais la disposition alternée de ses feuilles permet de le distinguer aisément des *Acer* chez lesquels elles sont opposées. Il appartient à la même famille que les *Hamamelis*.

Liquidambar styraciflua.
La plupart ont de riches couleurs en automne.

Liquidambar styraciflua. Jeune arbre se parant des coloris d'automne et dont les branches ont été conservées jusqu'au sol.

Liquidambar styraciflua. Un jeune sujet en été.

LIRIODENDRON

Deux espèces caduques seulement représentent ce genre intéressant. Toutes deux sont rustiques, de croissance rapide et prospèrent dans tous les types de sols fertiles, même légèrement calcaires; ils préfèrent cependant les terres profondes, fraîches et bien drainées, de bonne consistance. Leurs feuilles ne ressemblent à aucune autre feuille d'arbre couramment cultivé.

Liriodendron tulipifera

G

Le tulipier de Virginie est sans aucun doute l'arbre d'ornement le plus admirable des régions tempérées, en raison tout d'abord de son port majestueux, puis de ses curieuses feuilles à quatre lobes qui semblent avoir été tronquées à leur sommet. Son feuillage, très attrayant toute l'année, le devient plus encore en automne lorsqu'il prend une teinte jaune pâle. Ses fleurs jaune verdâtre, ressemblant à des tulipes, sont marquées de taches orangées à l'intérieur; elles apparaissent au début de juin et seulement sur les arbres âgés. 'Aureomarginatum' en est un remarquable cultivar dont les feuilles portent au printemps une large bordure dorée qui devient progressivement jaune verdâtre en juin-juillet.

Liriodendron tulipifera 'Fastigiatum'

M

Il se développe en une colonne très étroite quand il est jeune, puis il s'élargit avec l'âge. Bien qu'il pousse vite, il n'atteint pas de grandes dimensions et convient pour les petits jardins dans lesquels il produit beaucoup d'effet, surtout à l'automne lorsqu'il se transforme en un cylindre d'or.

Liriodendron tulipifera. Jeune tulipier vigoureux.

Liriodendron tulipifera.
Majestueux spécimen au début de l'automne.

Liriodendron tulipifera 'Aureomarginatum'. *Une panachure agréable et décorative.*

Liriodendron tulipifera 'Fastigiatum'. *Un arbre de 12 ans.*

Liriodendron tulipifera. Fleurs en forme de tulipes, en été.

MAGNOLIA

Pour la plupart des amateurs, le nom de Magnolia évoque celui d'une fleur exotique, tant il est vrai qu'il existe peu d'arbres rustiques, aux fleurs si grandes et si délicatement parfumées. Il s'agit d'espèces caduques ou persistantes dont la taille varie entre celle de l'arbuste et celle du grand arbre. Selon les magnolias, les fleurs apparaissent à la fin de l'hiver ou au début du printemps, avant les feuilles, à moins qu'elles ne se montrent en été, parmi les feuilles. Quoiqu'ils tolèrent les terres argileuses et la pollution atmosphérique, ils préfèrent les sols de consistance moyenne, frais et bien drainés. A part quelques exceptions, le calcaire ne leur convient pas.

Magnolia virginiana. Les fleurs, parfumées, s'épanouissent pendant une longue période.

Magnolia grandiflora. La floraison dure tout l'été.

Magnolia acuminata

G

Cette espèce de croissance rapide est originaire de l'est des Etats-Unis où elle est connue sous le nom d'«arbre aux concombres» par allusion à ses fruits composés qui ressemblent à un concombre. Son principal intérêt réside dans son ample feuillage plutôt que dans ses petites fleurs, verdâtres et sans éclat, cachées dans le feuillage, en mai-juin. Il est assez accommodant sur la nature du sol.

Magnolia grandiflora

MP

C'est le plus connu et le plus beau des magnolias persistants. Sous un climat doux comme ceux de la moyenne et de la basse Vallée de la Loire, de l'Ouest et du Midi, il devient un arbre magnifique, digne d'être isolé. Ailleurs, il requiert une situation abritée, tel le voisinage d'un mur à bonne exposition. Ses grandes feuilles coriaces sont vernissées dessus et recouvertes d'un duvet roux en dessous, lorsqu'elles sont jeunes. De grandes fleurs odorantes, blanc crème, dépassant 25 cm de diamètre, couronnent ses rameaux de juin à fin août. Il supporte un peu de calcaire dans les terrains profonds et riches. Cet arbre nous vient du sud-est des Etats-Unis. Il a donné plusieurs cultivars propagés par bouturage et qui fleurissent plus rapidement que les sujets obtenus par semis.

Magnolia × loebneri 'Leonard Messel'

P

Ce magnolia provient du croisement entre le *M. kobus stellata* 'Rosea', arbustif, et le *M. kobus,* arborescent. Il possède de grandes qualités: rusticité et tolérance satisfaisante aux terrains calcaires. Ses fleurs rose lilacé, en forme d'étoile, apparaissent même sur les jeunes sujets; elles garnissent ses ramifications, relativement fines, dès le début d'avrjl. Les boutons sont de teinte plus foncée.

Magnolia x loebneri 'Leonard Messel'.
*Roses en boutons, les fleurs pâlissent
à l'épanouissement. Ce cultivar fleurit en
jeunes sujets.*

*Magnolia x soulangiana. Splendide exemplaire recouvert
en avril de ses fleurs en forme de tulipes.*

Magnolia acuminata. Espèce à feuillage très décoratif.

Magnolia x soulangiana

P

Bien qu'on l'élève souvent en arbrisseau, ce magnolia forme un petit arbre à cime étalée qui se couvre en avril, avant l'apparition des feuilles, d'une multitude de grandes fleurs semblables à des tulipes, blanches à l'intérieur, rose pourpre à l'extérieur. Il a été obtenu vers 1820 par croisement entre le *M. denudata* et le *M. liliiflora*.

Il en existe plusieurs cultivars: 'Alba Superba', fleurs entièrement blanches, odorantes; précoce; 'Alexandrina', vigoureux, très florifère, fleurs blanches, teintées de pourpre; 'Lennei', une des plus jolies variétés, à grandes fleurs, blanc rosé à l'intérieur, pourpre à l'extérieur, tardives; 'Picture', fleurs pourpre vineux; fleurit en jeunes exemplaires.

Le *M. x soulangiana* se plaît dans la plupart des terres de jardins, à l'exception des terres calcaires ou sèches; il supporte la pollution de l'air et se montre parfaitement rustique.

Magnolia virginiana

P

Introduit de l'est des Etats-Unis dès le XVIIe siècle, cet arbre est revêtu de feuilles vert foncé, lustrées dessus, blanchâtres dessous, tombant tardivement en automne. Ses fleurs globuleuses, blanc crème, sont de dimensions modestes, mais délicieusement parfumées; elles se succèdent de juin en septembre. Rustique, il se contente de la plupart des sols, bien qu'il préfère cependant les terres saines et fraîches.

MALUS

Avec les prunus, les pommiers à fleurs offrent certainement le plus grand nombre d'arbres qui conviennent pour orner les petits jardins, les uns par leurs fleurs, d'autres par leurs fruits ou par la coloration automnale de leur feuillage. Très accommodants, ils prospèrent dans tous les sols et dans toutes les situations ; toutefois, ils ne fleurissent à profusion qu'en plein soleil.

Malus floribunda. Spécimen à plein développement démontrant la floribondité extraordinaire de ce pommier à fleurs renommé.

Malus floribunda

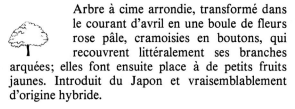

P

Arbre à cime arrondie, transformé dans le courant d'avril en une boule de fleurs rose pâle, cramoisies en boutons, qui recouvrent littéralement ses branches arquées; elles font ensuite place à de petits fruits jaunes. Introduit du Japon et vraisemblablement d'origine hybride.

Malus 'Golden Hornet'

P

Il existe plusieurs pommiers à fruits, mais s'il fallait en choisir un seul, le choix se porterait de préférence sur lui. Ses fleurs blanches, qui s'épanouissent en avril, produisent des fruits globuleux ou coniques, d'une riche couleur dorée; ils sont rassemblés par bouquets sur des branches dressées et persistent jusqu'en décembre.

Malus hupehensis

MP

Ce splendide pommier possède plusieurs attraits: d'abord l'écorce écailleuse grise et brune qui recouvre son tronc, puis en avril ses fleurs, roses en boutons, blanches à complet épanouissement, qui drapent ses branches dressées et raides; ces fleurs, odorantes, sont si abondantes qu'à distance les arbres paraissent recouverts d'une couche de neige. Les fruits sont petits, jaunes, tigrés de rouge. Cette espèce est originaire de Chine et du Japon; en Chine on utilise parfois ses feuilles comme celles du thé.

Malus 'John Downie'

P

Avec le 'Golden Hornet', c'est le pommier à fruits ornementaux le plus répandu dans les petits jardins. Ses fleurs blanches, s'ouvrant en mai, sont suivies par des fruits relativement gros, coniques, orangé et rouge brillant, de saveur agréable et qui peuvent être utilisés pour la préparation de compotes et de confitures.

Malus 'Profusion'.

Malus 'John Downie'.
Un des meilleurs pommiers à fruits décoratifs.

Malus 'Golden Hornet'.
Il produit des fruits en abondance.

Malus x *robusta*. *Pommier à fruits décoratifs.*

Malus 'Profusion'. *Un des meilleurs pommiers à fleurs.*

Malus 'Profusion'

P

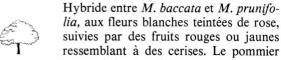

Arbre dont les jeunes feuilles, d'une couleur rouge cramoisi ou cuivrée, deviennent ensuite vert bronzé; fleurs rouge vineux, grandes, légèrement odorantes, couvrant entièrement les branches. Petits fruits rouge sang. Superbe variété, probablement le meilleur pommier à fleurs et à feuillage pourpres.

Malus 'Red Sentinel'

P

Aux fleurs blanches de ce pommier succèdent des fruits attrayants, rouge foncé, de 2,5 cm de diamètre, qui garnissent les branches d'une profusion de bouquets; ils persistent une partie de l'hiver et apportent un élément de gaieté pendant les journées tristes et froides de décembre et de janvier.

Malus × *robusta*

P

Hybride entre *M. baccata* et *M. prunifolia,* aux fleurs blanches teintées de rose, suivies par des fruits rouges ou jaunes ressemblant à des cerises. Le pommier connu sous le nom de 'Yellow Siberian' est un clone à fruits jaunes de ce bel hybride.

Malus spectabilis

P

Bel arbre à port dressé, au moins lorsqu'il est jeune, aux grandes fleurs de 5 cm de diamètre rose vif en boutons, blanc rosé lorsqu'elles sont épanouies à la fin d'avril. Fruits jaunes.
'Riversii' en est un très joli clone à fleurs doubles roses.

Malus transitoria

P

C'est l'espèce qu'il conviendrait de choisir si l'on ne devait retenir qu'un seul pommier pour l'ensemble de ses qualités ornementales. Ses branches élancées et souples forment un large champignon revêtu de feuilles gracieusement lobées, vert brillant pendant l'été, devenant jaune pâle en automne. Ses fleurs petites et blanches, mais très abondantes, donnent naissance à des fruits jaune d'or de la taille d'un grain de raisin. C'est un arbre plein d'élégance et de charme.

Malus tschonoskii

MP

Arbre vigoureux, à port conique, l'un des meilleurs pommiers pour l'éclatante coloration de son feuillage où se mêlent en automne le jaune, l'orangé, le pourpre et l'écarlate. Aux fleurs blanc lavé de rose, qui apparaissent en mai, succèdent des fruits globuleux, jaune verdâtre, teintés de pourpre. Originaire du Japon, cet arbre convient à la fois pour les espaces verts de faible étendue et pour planter le long des avenues.

Malus trilobata

P

Quoique rare, c'est l'un des arbres les plus convenables pour les petits jardins. Ses branches dressées sont garnies de feuilles à trois lobes profonds: elles ressemblent davantage à des feuilles d'érable qu'à celles d'un pommier et prennent de jolies teintes automnales. Ses grandes fleurs blanches, réunies en bouquets, s'épanouissent au début de mai. Il est originaire de Grèce septentrionale.

Malus 'Van Eseltine'

P

Un pommier idéal pour les très petits jardins en raison de son port extrêmement élancé qui ne peut gêner ni le promeneur, ni l'habitation voisine. Il porte des fleurs semi-doubles, de plus de 4 cm de diamètre, écarlates en boutons, rose nacré lorsqu'elles sont épanouies, puis des fruits jaunes.

Malus 'Van Eseltine'. *Des fleurs en bouquets compacts.*

Malus tschonoskii. De chauds coloris d'automne.

MORUS

Si leurs fleurs sont insignifiantes, les mûriers présentent un grand intérêt par leur beau feuillage et leurs teintes d'automne. Ces arbres à feuilles caduques se plaisent dans les climats chauds, mais ils sont rustiques dans la plus grande partie de notre pays; ils s'accommodent de la plupart des sols, cependant ils préfèrent les terres profondes et fertiles. Ils sont tout à fait à leur place dans les jardins urbains et au bord de la mer. En raison de la fragilité de leurs racines, on doit les planter avec beaucoup de précautions et de préférence en petits spécimens.

Morus alba 'Pendula'

P

Remarquable arbre pleureur, aux longues branches formant une tonnelle étroite garnie de grandes feuilles cordiformes, vert pâle, tournant au jaune en arrière-saison. C'est une variété du mûrier blanc dont les feuilles servent de nourriture au ver à soie.

Morus nigra

P

Le mûrier noir, à cime très ramifiée et largement étalé, est un arbre familier. Doué d'une grande longévité, il prend un aspect noueux et pittoresque avec l'âge. Il porte de grandes feuilles cordées vert foncé, rudes au toucher dessus, duveteuses dessous, et produit de gros fruits noirâtres, comestibles et de goût agréable. Originaire du Moyen-Orient, il est cultivé en Europe depuis le XVIe siècle.

Morus nigra. Un beau spécimen de mûrier noir.

Morus alba 'Pendula'. *Un mûrier pleureur célèbre, à Kew Gardens (Angleterre).*

NOTHOFAGUS

Petit groupe d'arbres voisins des hêtres dont ils diffèrent, entre autres caractères, par leurs feuilles plus petites. De croissance assez rapide, ils ont un feuillage caduc ou persistant. Comme le hêtre commun, ils résistent mal aux vents violents et ne conviennent pas pour l'établissement d'écrans ou de brise-vent. Ils préfèrent les sols profonds, frais et sains et ne s'accommodent pas des terres calcaires et sèches. Leur rusticité est satisfaisante. Ils sont rares en France.

Nothofagus betuloides.
Un des quelques arbres à feuillage persistant.

Nothofagus obliqua.
Spécimen de 19 ans, au port très élégant.

Nothofagus betuloides

M
Espèce chilienne à feuillage persistant, de port compact. Ses petites feuilles coriaces, dentées, sont vert foncé, brillantes; elles sont élégamment disposées sur les branches.

Nothofagus obliqua

G
Egalement originaire du Chili, cette espèce caduque et rustique forme en quelques années de jolis spécimens dont l'extrémité des branches retombe gracieusement. Ses feuilles, asymétriques à la base, sont plus amples que celles des autres espèces. Il est recommandé comme arbre à isoler sur une grande pelouse.

NYSSA

Arbres réputés pour leurs brillantes couleurs automnales. Leurs fleurs sont insignifiantes. Ils exigent des sols frais, dépourvus de calcaire et, une fois en place, ils ne doivent plus être dérangés; aussi il y a intérêt à les planter aussi jeunes que possible.

Nyssa sylvatica. Des couleurs éclatantes en automne.
Nyssa sylvatica.
Les feuilles au début de l'automne, avant l'apothéose !

Nyssa sylvatica

MG

Originaire d'Amérique du Nord, cet arbre de croissance modérée forme une cime globuleuse ou une large colonne que l'automne pare d'un vêtement éclatant; en cette saison, les feuilles vertes et vernissées de l'été s'embrasent en un feu de joie jaune, orange et écarlate. En France, le *Nyssa* est rare, on ne le rencontre que dans quelques parcs, dans des terrains humifères et très frais.

ARBRES A FRUITS ORNEMENTAUX

Ailanthus altissima
Alnus cordata
Arbutus x andrachnoides
Arbutus unedo
Castanea sativa
Catalpa bignonioides
Cercis siliquastrum
Cornus controversa
Cornus kousa
Cornus nuttallii
Cotoneaster frigidus
Cotoneaster ' Hybridus Pendulus '
Cotoneaster x watereri
Crataegus crus-galli
Crataegus laciniata
Crataegus prunifolia
Crataegus tanacetifolia
Fraxinus ornus
Gleditsia triacanthos
Idesia polycarpa
Ilex x altaclarensis ' Camelliifolia '
Ilex x altaclarensis ' Golden King '
Ilex x altaclarensis ' Silver Sentinel '
Ilex x altaclarensis ' Lawsoniana '

Ilex aquifolium ' Handsworth New Silver '
Ilex aquifolium ' J.C. van Tol '
Ilex aquifolium ' Madame Briot '
Ilex aquifolium ' Pendula '
Ilex aquifolium ' Pyramidalis '
Koelreuteria paniculata
Magnolia acuminata
Malus ' Golden Hornet '
Malus ' John Downie '
Malus transitoria
Malus x robusta
Ostrya carpinifolia
Prunus lusitanica
Pterocarya fraxinifolia
Rhus trichocarpa
Rhus typhina
Sorbus aucuparia & cvs.
Sorbus cashmiriana
Sorbus hupehensis
Sorbus hybrida
Sorbus intermedia
Sorbus ' Joseph Rock '
Sorbus x kewensis
Sorbus scalaris
Sorbus vilmorinii

OSTRYA

Petits arbres élégants à feuilles caduques, très voisins des charmes (Carpinus). Ils sont faciles à cultiver dans la plupart des sols.

Ostrya carpinifolia

M

Le charme-houblon, spontané dans le sud de l'Europe et l'ouest de l'Asie, est attrayant au printemps quand ses nombreux et longs chatons jaunes pendent tout le long des branches. Ses feuilles à dents aiguës deviennent jaunes en arrière-saison, elles sont alors accompagnées par ses fruits, curieusement assemblés comme des cônes de houblon.

Ostrya carpinifolia. Un arbre élégant facile à cultiver.

OXYDENDRUM

Une seule espèce des Etats-Unis; demande des sols frais, non calcaires, et se plaît au soleil comme à l'ombre.

Oxydendrum arboreum

PM

L'arôme acidulé et agréable de ses feuilles vaut à cette plante le nom d'oseille en arbre. Ces mêmes feuilles, longues et vert foncé, prennent d'exquises nuances jaunes, cramoisies et pourpres en automne. En juillet-août, de longues panicules pendantes de fleurs blanches apparaissent à l'extrémité des pousses, pendant plusieurs semaines.

Oxydendrum arboreum.
Un des arbres les plus richement colorés en automne.

Oxydendrum arboreum. Un jeune sujet en automne.

PARROTIA

De riches couleurs automnales constituent le principal attrait de ces petits arbres qui appartiennent à la famille des Hamamélidacées et cependant sont tolérants au calcaire. Ils se plaisent mieux et acquièrent de plus vives couleurs dans les sols frais, bien drainés et de préférence en plein soleil.

Parrotia persica. Feuillage au printemps.

Parrotia persica. Chauds coloris d'automne.

Parrotia persica

P

Cet arbre rustique forme normalement une cime arrondie de branches largement étalées sur un tronc court et fort dont l'écorce rappelle celle du platane. En automne, ses feuilles, vert sombre, deviennent écarlate flamboyant et or: la plante produit un magnifique effet. Ses fleurs rougeâtres, en petits glomérules, s'épanouissent en février-mars.

Il est originaire du nord de l'Iran et du Caucase; on le rencontre en abondance sur les collines humides qui bordent la mer Caspienne où il forme des forêts en association avec le charme. Il y prend un port dressé, atteint plus de 20 m de hauteur et se colore tard en saison, en général en décembre.

Parrotia persica. L'écorce curieusement bigarrée, en hiver.

PAULOWNIA

Beaux arbres caducs, s'accommodant de tous les sols sains et demandant, pour bien fleurir, une exposition ensoleillée et abritée des vents froids.

Paulownia tomentosa

MP

Originaire de Chine, le *Paulownia* est un arbre de taille moyenne, mais de croissance très rapide, à grosses branches étalées dont les forts rameaux duveteux portent d'amples feuilles opposées. Ses boutons, formés dès l'automne et réunis en panicules terminales, donnent au début de mai de jolies fleurs bleu héliotrope de 4 à 5 cm de long, ressemblant à celles de la digitale. Cultivé en touffes rabattues chaque année en mars, il ne fleurit pas mais il émet des pousses de 2,50 à 3 m de hauteur portant des feuilles énormes, d'aspect très pittoresque: certaines d'entre elles dépassent 60 cm de diamètre.

Paulownia tomentosa. Arbre à croissance rapide, à port ample et irrégulier, ici en pleine floraison.

PHILLYREA

Les filarias constituent un petit groupe d'arbres à feuilles persistantes et opposées. Ils sont rustiques et prospèrent dans la plupart des sols et dans toutes les situations; ils supportent les atmosphères polluées ou chargées d'embruns.

Phillyrea latifolia

P

Pour ceux qui admirent le beau feuillage vert sombre du chêne-vert *(Quercus ilex)* mais qui ne disposent pas d'un emplacement suffisant, cet arbre est un excellent remplaçant. Il développe une cime dense et arrondie, avec de petites feuilles dentées. Ce filaria est originaire du sud de l'Europe et de l'ouest de l'Asie.

Phillyrea latifolia. Spécimen remarquable de ce petit arbre à feuillage persistant.

PLATANUS

Arbres caducs de taille imposante dont les feuilles palmatilobées ressemblent à celles des érables (Acer) ; toutefois, elles sont alternes et non opposées, comme chez ceux-ci. Très vigoureux et tolérants sur la nature du sol, ils s'accommodent mal des terres nettement calcaires ou superficielles.

Platanus orientalis insularis.
Son feuillage très découpé en fait un arbre très décoratif.

Platanus x acerifolia

G

Ce platane est généralement considéré comme un hybride entre *Platanus orientalis,* du sud-est de l'Europe, et *Platanus occidentalis,* des Etats-Unis. Très connu et très répandu dans nos villes comme arbre d'alignement, aucune autre essence ne supporte aussi bien que lui la pollution, les mutilations et l'absence de soins. Son écorce se détache par larges plaques et laisse apparaître des zones blanc verdâtre ou gris clair qui contrastent avec les parties plus anciennes de couleur foncée : elle dessine une marqueterie attrayante en hiver, époque où pendent de ses branches des chapelets de fruits arrondis et rugueux. Les feuilles de son cultivar 'Suttneri', nettement tachées et panachées de blanc-crème, sont teintées de rose quand elles sont jeunes, elles deviennent vertes ensuite.

Platanus orientalis

G

Beaucoup moins répandu que le précédent, le platane d'Orient en diffère surtout par ses feuilles plus profondément lobées. Comme lui, il exige un emplacement suffisamment étendu pour atteindre son entier développement. C'est un arbre d'une grande longévité; on en connaît des exemplaires très âgés dans les régions du sud-est de l'Europe et de l'ouest de l'Asie d'où il est originaire. Dans le nord de l'Iran, il résiste aux étés longs et brûlants suivis d'hivers très froids. Sa variété *insularis,* ou platane de Chypre, est moins puissante, ses feuilles sont plus petites, plus profondément lobées et plus élégantes que celles de l'espèce type.

Platanus x acerifolia 'Suttneri'.
Une très belle panachure au printemps.

Platanus orientalis. Un enchevêtrement de branches sur un fond de ciel, au printemps, dans les jardins d'Exbury (Angleterre).

POPULUS

Les peupliers constituent un vaste groupe d'arbres caducs, rustiques, de culture facile, qui prospèrent dans tous les sols à l'exception des terres superficielles et calcaires. Poussant à l'état naturel dans la vallée des cours d'eau, ils sont précieux pour mettre en valeur les terrains humides. Très vigoureux, ils étendent rapidement leurs branches et leurs racines ; il faut se garder de les planter trop près des constructions ou des canalisations de drainage. Les chatons produits au printemps sont portés par des sujets différents, mâles ou femelles ; ces derniers donnent en mai-juin des graines cotonneuses dont le duvet cause parfois une gêne pour les citadins et dans les prairies pour les bestiaux.

Populus candicans 'Aurora'. Jeunes sujets dans une pépinière.

Populus alba. Le peuplier blanc au printemps.

Populus alba

G

Espèce drageonnante, le peuplier blanc porte des feuilles blanches et cotonneuses dessous, à trois ou cinq lobes sur les pousses vigoureuses, simplement dentées sur les autres rameaux; elles ont un aspect séduisant quand le vent les agite en leur donnant des reflets changeants. Elles jaunissent en automne. Dans nos régions l'écorce est lisse et grisâtre, mais dans les pays à atmosphère sèche, comme l'Iran, elle acquiert un éclat argenté tout à fait remarquable. Il est originaire d'Europe et de l'ouest de l'Asie.

Populus candicans 'Aurora'

M

Cette belle forme de peuplier baumier de Gilead produit de forts rameaux anguleux et de larges feuilles cordiformes qui exhalent une forte odeur balsamique lorsque les bourgeons s'ouvrent; ces feuilles sont fortement panachées de blanc crème et nuancées de rose avant de tourner graduellement au vert à l'état adulte; elles rappellent la couleur de celles de *Platanus x acerifolia* 'Suttneri', Une taille sévère appliquée tous les deux ans en fin d'hiver provoque le développement de pousses vigoureuses aux feuilles vivement colorées.

100

Populus nigra 'Plantierensis'.
Une colonne imposante.

Populus lasiocarpa. Des feuilles aux dimensions exceptionnelles.

Populus x euramericana 'Serotina Aurea'. *Jeune sujet en fin d'été. Une taille tous les deux ans limite les dimensions de la couronne.*

Populus lasiocarpa

M

Les rameaux forts et velus de ce magnifique peuplier chinois portent de grandes feuilles atteignant 30 cm de long sur 20 cm de large, vert brillant avec les nervures principales et le pétiole rouges.

Populus nigra 'Italica'

G

Planté en sujets isolés, en groupes ou en alignements, le peuplier d'Italie produit beaucoup d'effet en raison de son port caractéristique en large colonne à branches dressées et étroitement serrées. On en forme souvent des rideaux épais. Comme son nom l'indique, il est d'origine italienne et il est représenté dans les cultures par un clone mâle.

Populus nigra 'Plantierensis'

G

Arbre robuste dont le port en colonne rappelle celui du peuplier d'Italie; toutefois ses branches basses sont plus fortes et sa ramure plus large. Il est d'origine française.

Populus x euramericana 'Robusta'

G

Une des caractéristiques de ce peuplier très vigoureux réside dans son tronc très droit et dans sa flèche qui demeure verticale même chez les arbres âgés, leur conférant un joli port régulier. Au printemps, les jeunes feuilles ont un beau coloris cuivré, puis elles passent au vert. Ce clone mâle est populaire et très estimé pour former des écrans et des brise-vent.

Populus × euramericana 'Serotina Aurea'

G

Arbre remarquable, de grande vigueur, dont les feuilles cordiformes jaune vif au printemps et au début de l'été deviennent ensuite jaune verdâtre pour prendre une brillante teinte dorée peu de temps avant leur chute. Clone mâle aux fortes branches formant une cime largement ouverte. Une taille sévère tous les deux ans limite les dimensions de la couronne et rend plus vive la coloration des jeunes feuilles.

Populus tremula 'Pendula'. *Un tremble pleureur de 14 ans.*

Populus x euramericana 'Robusta'.
*Peuplier vigoureux dont les jeunes feuilles
ont un coloris cuivré au printemps.*

Populus tremula.
L'écorce du tronc révèle un graphisme surprenant.

Populus tremula

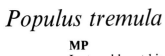

MP

Le tremble est bien connu pour ses petites feuilles arrondies, élégamment dentelées et de teinte gris verdâtre qui s'agitent à la moindre brise à cause de leur mince pétiole aplati. Il est drageonnant; en février, il drape ses branches de ravissants chatons allongés et gris. Ses feuilles prennent une coloration jaune beurre en automne. Il est répandu dans toute l'Europe, l'ouest de l'Asie et le nord de l'Afrique.

Populus tremula
'Pendula'

P

Le tremble pleureur a une cime en forme de champignon avec de gracieuses branches retombantes; c'est un arbre très indiqué pour les surfaces gazonnées, car les tontes fréquentes s'opposent au développement de ses drageons.

FEUILLES ET FLEURS PRÉSENTANT UN INTÉRÊT DÉCORATIF

Feuilles panachées

Acer negundo ' Elegans '
Acer negundo ' Variegatum '
Acer platanoides ' Drummondii '
Acer pseudoplatanus ' Leopoldii '
Cornus controversa ' Variegata '
Ilex x altaclarensis ' Golden King '
Ilex x altaclarensis ' Lawsoniana '
Ilex x altaclarensis ' Silver Sentinel '
Ilex aquifolium
Ligustrum lucidum ' Excelsum Superbum '
Liquidambar styraciflua ' Aurea '
Liriodendron tulipifera ' Aureomarginatum '
Platanus x acerifolia ' Suttneri '
Populus candicans ' Aurora '
Prunus lusitanica ' Variegata '
Quercus cerris ' Variegata '
Ulmus procera ' Argenteovariegata '

Feuilles rouges ou pourpres

Acer platatanoides ' Crimson King '
Acer platanoides ' Schwedleri '
Acer pseudoplatanus 'Purpurascens'
Catalpa x erubescens ' Purpurea '
Fagus sylvatica ' Purpurea '
Fagus sylvatica ' Purpurea Pendula '
Malus ' Profusion '
Prunus cerasifera ' Nigra '
Prunus cerasifera ' Pissardii '
Prunus x blireana

Feuilles jaunes ou dorées

Acer cappadocicum ' Aureum '
Acer pseudoplatanus ' Worleei '
Alnus incana ' Aurea '
Alnus glutinosa ' Aurea '
Catalpa bignonioides ' Aurea '
Fagus sylvatica ' Zlatia '
Populus alba ' Richardii '
Populus ' Serotina Aurea '
Quercus robur ' Concordia '
Quercus rubra ' Aurea '
Robinia pseudoacacia ' Frisia '
Tilia x europaea ' Wratislaviensis '
Ulmus carpinifolia ' Wredei '
Ulmus carpinifolia 'Sarniensis Dicksonii'

Feuilles argentées

Acer saccharinum
Crataegus laciniata
Crataegus tanacetifolia
Eucalyptus coccifera
Eucalyptus dalrympleana
Eucalyptus gunnii
Eucalyptus niphophila
Eucalyptus parvifolia
Fraxinus velutina
Populus alba
Populus tremula
Pyrus nivalis
Pyrus salicifolia ' Pendula '
Salix alba
Salix alba ' Sericea '
Sorbus aria
Sorbus cuspidata
Tilia petiolaris
Tilia tomentosa

Feuilles se colorant à l'automne

Acer cappadocicum
Acer ginnala
Acer griseum
Acer platanoides
Acer rubrum (surtout
   ' Schlesingeri ')
Acer saccharinum
Acer saccharum
Amelanchier lamarckii
Betula
Carpinus
Cercidiphyllum japonicum
Crataegus prunifolia
Fagus
Fraxinus excelsior ' Jaspidea '
Fraxinus oxycarpa ' Raywood '
Liquidambar styraciflua
Liriodendron tulipifera
Malus transitoria
Malus trilobata
Malus tschonoskii
Morus alba ' Pendula '
Nyssa sylvatica
Ostrya carpinifolia
Parrotia persica
Populus alba
Populus ' Serotina Aurea '
Populus tremula
Prunus x hillieri ' Spire '
Prunus incisa
Prunus sargentii
Quercus coccinea (surtout
   ' Splendens ')
Quercus rubra
Rhus trichocarpa
Rhus typhina
Sassafras albidum
Sorbus alnifolia
Sorbus ' Joseph Rock '
Sorbus scalaris
Stewartia
Tilia mongolica
Ulmus
Zelkova crenata
Zelkova serrata

Feuilles composées, profondément lobées, découpées ou laciniées

Acer japonicum ' Aconitifolium '
Acer saccharinum 'Wieri'
Aesculus
Ailanthus altissima
Alnus glutinosa ' Imperialis '
Aralia elata
Betula verrucosa ' Dalecarlica '
Fagus sylvatica ' Asplenifolia '
Fraxinus
Gleditsia triacanthos
Juglans nigra
Koelreuteria paniculata
Malus transitoria
Platanus orientalis insularis
Pterocarya fraxinifolia
Robinia
Rhus trichocarpa
Rhus typhina (surtout
   ' Laciniata ')
Sophora japonica
Sorbus aucuparia
Tilia platyphyllos ' Laciniata '

Fleurs odorantes

Crataegus monogyna
Drymis winteri
Eucryphia x intermedia
Eucryphia milliganii
Laburnum alpinum
Magnolia grandiflora
Magnolia x loebneri
   ' Leonard Messel '
Magnolia virginiana
Malus floribunda
Malus ' Profusion '
Prunus ' Amanogawa '
Prunus lusitanica
Prunus ' Shirotae '
Prunus x yedoensis
Robinia pseudoacacia
Styrax japonica
Tilia x euchlora
Tilia x europaea
Tilia petiolaris
Tilia platyphyllos

PRUNUS

Les Prunus forment un vaste groupe d'arbres parmi lesquels figurent les essences ornementales les plus courantes. Rares sont les jardins dans lesquels on ne rencontre pas au moins un prunier ou un cerisier à fleurs. La faveur des amateurs pour ces arbres tient à leur rusticité et à la facilité de leur culture; en outre, ils conviennent parfaitement pour les petits jardins. On en distingue plusieurs catégories: pruniers, cerisiers, pêchers, amandiers, abricotiers et lauriers-cerises. Dans l'ensemble, et sauf les rares espèces que nous signalerons, ils ne sont pas exigeants sur la nature des sols à condition que ceux-ci ne soient pas marécageux; la plupart d'entre eux, les cerisiers du Japon en particulier, s'accommodent bien des terres calcaires, dans lesquelles ils donnent une floraison magnifique. Ils demandent le plein soleil pour bien fleurir; cependant, quelques-uns supportent l'ombre, tels les lauriers-cerises, qui comptent parmi les meilleures espèces pour ces situations.

Prunus amygdalus. Un amandier en fleurs au début du printemps.

Prunus amygdalus. Une floraison abondante.

Prunus persica 'Klara Mayer'. Probablement le meilleur et le plus répandu des pêchers à fleurs.

Prunus serrulata 'Kiku-shidare Sakura'.
L'arbre entier se couvre en avril de ses jolies fleurs doubles.

Prunus amygdalus

MP

L'amandier est l'un des plus précoces et des plus florifères parmi les arbres à floraison printanière. A travers sa cime plutôt lâche le spectacle qu'offrent ses fleurs rose clair, larges de 3 à 4 cm, sur le fond bleu du ciel au début de mars, est inoubliable. En dépit de la précocité de sa floraison, très exposée aux atteintes de la gelée, il fructifie assez régulièrement. Cependant, il ne peut être considéré comme essence fruitière que dans les régions méridionales de l'Europe où il s'est naturalisé à partir du nord de l'Afrique et de l'ouest de l'Asie. 'Rosea Plena' a des fleurs doubles, rose pâle.

Prunus avium

M

Le merisier est le plus commun des cerisiers indigènes. Il est splendide, en avril, lorsque ses bouquets de fleurs blanches entourent entièrement ses branches d'un manchon immaculé. Ses feuilles prennent une teinte cramoisie en automne. Son cultivar 'Plena' est encore plus remarquable, car ses feuilles doubles ont une plus longue durée. Avec les cerisiers du Japon, il mérite de figurer parmi les meilleurs cerisiers à fleurs; il est toutefois de plus grande taille que ceux-ci.

Prunus × blireana

P

En quelque lieu qu'il soit planté, cet arbre ne manque jamais d'éveiller l'intérêt et souvent l'admiration lorsque, dès le mois de mars, ses branches élancées se couvrent de guirlandes de fleurs doubles, rose tendre, légèrement odorantes, de 2,5 cm de diamètre; son aspect éclatant de nuage rose est encore rehaussé par le délicat coloris rouge cuivré des jeunes feuilles. Cet arbre, idéal pour les petits jardins, provient du croisement de Prunus cerasifera 'Atropurpurea' et de Prunus mume 'Alphandii', cultivar semi-double de l'abricotier du Japon.

Prunus cerasifera 'Atropurpurea'

P

Forme à feuilles pourpres et probablement la plus commune du prunier mirobolan, introduite d'Iran vers 1880. Les petites fleurs, roses en boutons, puis blanches, s'épanouissent en mars sur un fond de pousses rouge foncé, qui commencent à se développer, ce qui les met nettement en valeur. Prunus cerasifera 'Nigra' en diffère par ses rameaux et son feuillage pourpre noirâtre et par ses fleurs roses très abondantes. Tous deux peuvent être élevés en touffes et utilisés pour constituer des haies.

Prunus × hillieri 'Spire'

P

Probablement l'un des meilleurs arbres de petite taille obtenus au XXe siècle. Sa forme le désigne spécialement pour les petits jardins et les emplacements peu étendus. Fin mars ou début avril, ses fleurs rose tendre recouvrent entièrement ses branches et en automne ses feuilles prennent un riche coloris rouge. Il est aussi ornemental en touffe qu'élevé sur tige.

Prunus incisa

P

Charmant cerisier japonais à ramure dense et à feuilles finement dentelées qui prennent souvent de riches teintes automnales; fin mars, ses branches fines et élancées sont garnies d'innombrables fleurs, roses en boutons, puis blanches: à distance, elles simulent un brouillard rose pâle. C'est une espèce rustique et robuste, employée aussi en haie et cultivée comme bonsai, sous forme nanifiée. 'Praecox' est un clone fleurissant dès le mois de janvier. 'February Pink', également plus précoce que l'espèce type, porte des fleurs plus colorées.

Prunus 'Kursar'

P

Ce très beau cerisier provient d'un croisement entre *Prunus kurilensis* et *Prunus sargentii* effectué par le Capitaine Collinwood Ingram, un des plus éminents spécialistes des cerisiers japonais. A la fin de mars, ses branches disparaissent sous une profusion de fleurs de petite taille, mais d'une riche couleur rose vif; les jeunes feuilles, rouge bronzé, prennent une belle coloration automnale.

Prunus cerasifera 'Atropurpurea' *(syn. Prunus pissardii).*
Un des meilleurs arbres à feuillage pourpre et certainement le plus répandu.

Prunus serrulata 'Kiku-shidare Sakura'.
Le meilleur cerisier à fleurs pleureur pour petits jardins.

Prunus lusitanica

P

Le laurier du Portugal est l'une des rares espèces de *Prunus* qui n'offrent aucune ressemblance avec les autres cerisiers et pruniers sauf par leurs fleurs et leurs fruits. Il est garni de feuilles persistantes, luisantes, vert sombre avec un pétiole rouge vineux et produit en mai des grappes élancées de petites fleurs blanches dont l'odeur rappelle celle de l'aubépine; aux fleurs succèdent des fruits rouges, puis noirs et brillants, de la grosseur d'une merise.

Originaire de la péninsule ibérique, le laurier du Portugal fait preuve d'une bonne rusticité et se contente de la plupart des sols et des situations, même des sols calcaires et de l'ombre épaisse. 'Variegata' est un cultivar aux feuilles panachées de blanc crème, souvent teintées de rose en hiver; malheureusement, moins rustique que le type, il demande une protection contre les vents froids de la mauvaise saison.

Prunus serrulata 'Kanzan'.
Le plus populaire des cerisiers à fleurs.

Prunus persica

P

Fleurissant fin mars ou début avril, deux ou trois semaines après l'amandier, le pêcher possède des fleurs semblables, mais plus petites et un peu plus colorées; elles apparaissent par petits groupes sur les branches encore nues. L'écorce des rameaux est verte et ornementale en hiver. Probablement originaire de Chine, le pêcher est cultivé pour ses fruits et naturalisé dans les nombreuses régions de l'Asie et du sud de l'Europe. On en connaît de nombreux cultivars dénommés, différant principalement par la couleur de leurs fleurs. 'Cardinal' a des fleurs semi-doubles ressemblant à des rosettes, d'un rouge éclatant; 'Russell's Red' est une variété ancienne à fleurs doubles, cramoisies, qui demeure encore l'une des meilleures pour son coloris; 'Iceberg', très florifère, a des fleurs semi-doubles, blanc pur, il est voisin de 'Alboplena' plus ancien et qu'il remplace maintenant; 'Klara Mayer' est probablement le meilleur et le plus répandu, ses fleurs doubles, d'un joli rose tendre, inondent littéralement ses branches; 'Prince Charming' a des fleurs doubles, rose vif et un port érigé.

Prunus persica
'Windle Weeping'

P

Rare, mais beau cultivar pleureur, aux larges feuilles, dont les fleurs semi-doubles, en forme de coupe, sont rose pourpre; 'Crimson Cascade' est également pleureur avec des fleurs cramoisies.

Prunus sargentii

P

Sans doute l'un des plus beaux arbres cultivés pour leurs teintes automnales. En mars, ses branches étalées se couvrent de fleurs simples, rose vif, bientôt accompagnées par les feuilles rouge cuivré des jeunes pousses. A l'automne, il est le premier cerisier à se colorer; dès la fin de septembre, sa cime se pare, quelles que soient les conditions atmosphériques, d'une magnifique livrée orange et cramoisie. C'est un des rares cerisiers qui n'aient pas à souffrir des dommages du bouvreuil. Il est originaire du Japon, de Sakhaline et de Corée.

Prunus serrula

P

Ce beau cerisier fait partie des arbres d'ornement introduits de Chine par le grand collecteur de plantes Ernest Wilson. Contrairement à la plupart des autres cerisiers, cette espèce est plus intéressante par son écorce que par ses petites fleurs blanches qui apparaissent en avril en même temps que les feuilles et qui sont cachées en grande partie par elles. L'écorce du tronc et des branches est de couleur brun cuivré foncé, brillante, elle se détache en lambeaux pour découvrir la nouvelle écorce, rouge acajou, luisante comme si elle avait été polie. Elle est séduisante en toute saison, mais surtout pendant l'hiver, quand le jardin offre peu d'autres éléments d'intérêt. Elle compense ainsi l'insuffisance de la floraison.
On peut encore augmenter l'éclat des écorces en les frottant périodiquement.

Prunus serrulata 'Amanogawa'

P

Un des meilleurs cerisiers japonais pour les petits jardins; ses grands bouquets de fleurs odorantes, semi-doubles, rose nacré, apparaissent en avril parmi les jeunes feuilles vert bronzé. Par une journée ensoleillée, on découvre une colonne de branches érigées et denses, admirable au moment de la floraison. Son feuillage jaunit à l'automne. On lui conserve toujours ses branches depuis la base.

Prunus serrulata 'Kiku Shidare Sakura'

P

Le meilleur cerisier pleureur pour les petits jardins. En avril, ses branches se drapent de fleurs très doubles, roses; ses feuilles, d'abord vert bronzé, deviennent vertes et luisantes.

Prunus lusitanica 'Variegata'. *Un persistant panaché intéressant mais qui exige une situation abritée.*

Prunus serrulata. A elle seule l'écorce est un spectacle.

Prunus serrulata 'Kanzan'

P

C'est le plus courant de tous les cerisiers du Japon; sa popularité ne faiblit pas, bien que certains amateurs estiment qu'il soit devenu trop commun. Il est caractérisé par des branches raides et érigées pendant sa jeunesse; par la suite, sa cime s'élargit. Au milieu ou à la fin d'avril, il se couvre de bouquets pendants de grandes fleurs doubles, rose pourpré, dont la teinte pâlit légèrement en fin de floraison. Les jeunes feuilles sont cuivrées. On le considère comme le modèle des arbres à fleurs.

Prunus serrulata 'Mikurama Gaeshi'

P

Cultivar très distinct par ses longues branches dressées, d'apparence maigre et décharnée quand il n'est pas fleuri; il se transforme soudain en avril, lorsque ses rameaux se couvrent de fleurs simples rose pâle, légèrement odorantes. Les jeunes feuilles vert bronzé tournent au rouge cuivre et au jaune en arrière-saison. En raison de son port, ce cerisier convient pour border les allées et faire des haies de clôture.

Prunus serrulata 'Shirotae'

P

Désigné sous le nom de «cerisier du Mont Fuji» en raison de ses fleurs blanc de neige, ce bel arbre possède un port bas et étalé, avec de longues branches peu fournies s'étendant horizontalement, leur extrémité rejoignant souvent le sol. Les fleurs très grandes et parfumées sont semi-doubles ou parfois simples, notamment sur les jeunes arbres; elles s'épanouissent fin avril. D'un blanc éblouissant, elles ressortent sur un fond de feuilles vert tendre à bord fortement frangé. En automne, le feuillage prend un joli coloris jaune d'or.

Prunus serrulata 'Shirofugen'

P

Cerisier japonais s'accommodant de tous les types de plantation et séduisant par son joli port et par sa floraison tardive et de longue durée. Il porte un nom japonais signifiant « Idole blanche », qui semble bien lui convenir. C'est un arbre vigoureux, aux branches largement étalées et dont les plus basses deviennent souvent retombantes avec l'âge. Ses grandes fleurs doubles, rose pourpre en boutons, s'éclaircissent lors de leur épanouissement pour devenir blanches ou rose très pâle; elles sont portées par de longs pédoncules et pendent tout le long des branches en mai. Elles contrastent nettement avec les jeunes feuilles de teinte cuivrée; ces dernières tournent à l'orange foncé et au brun cuivré en automne.

Prunus subhirtella 'Pendula Rubra'. *Un excellent petit arbre pleureur.*

Prunus sargentii. Un des premiers arbres pour annoncer l'automne.

Prunus serrulata 'Shimidsu Sakura'

P

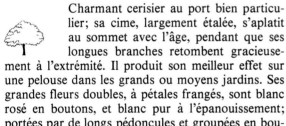

Charmant cerisier au port bien particulier; sa cime, largement étalée, s'aplatit au sommet avec l'âge, pendant que ses longues branches retombent gracieusement à l'extrémité. Il produit son meilleur effet sur une pelouse dans les grands ou moyens jardins. Ses grandes fleurs doubles, à pétales frangés, sont blanc rosé en boutons, et blanc pur à l'épanouissement; portées par de longs pédoncules et groupées en bouquets tout le long des branches, elles ressemblent aux tutus des ballerines. Les feuilles apparaissent avec les fleurs, à la fin d'avril; d'abord vertes, elles se colorent d'orange et de rouge avant de tomber.

Prunus serrulata 'Tai Haku'

P

De grande végétation, c'est l'un des meilleurs cerisiers pour tous les types de plantations; connu sous le nom de «Grand cerisier blanc» qui lui sied parfaitement, il donne des fleurs plus grandes qu'aucun autre cerisier, puisqu'elles atteignent jusque 6 cm de diamètre. Elles apparaissent fin avril, leur teinte blanc éclatant contraste agréablement avec celle du jeune feuillage rouge cuivré. Les feuilles deviennent orange ou jaunes en automne.

Prunus serrulata 'Ukon'

P

Les fleurs semi-doubles de ce cerisier ont une couleur inhabituelle: blanc jaunâtre, nuancé de vert et de rose; elles naissent à profusion, en gros bouquets, à la fin d'avril, sur un fond de jeunes feuilles vert bronzé qui se colorent vivement de rouille, de bronze et de pourpre en arrière-saison.

Prunus subhirtella 'Autumnalis'

P

Pendant les journées sombres qui s'étendent de la fin de l'automne au début du printemps, un petit nombre d'arbres et d'arbustes ont le courage de fleurir pour apporter une note de couleur et de gaieté aux jardins; le «cerisier d'automne» est un de ceux-là. Ses petites fleurs semi-doubles rose pâle apparaissent dans le courant de novembre et s'épanouissent successivement jusqu'à la fin de mars, durant les périodes de temps doux qui se produisent pendant l'hiver. Les rameaux de ce cerisier sont très appréciés pour orner les appartements à cette époque. Avant le début de la floraison, les feuilles prennent une riche coloration rouge et bronzée. 'Autumnalis Rosea' a des fleurs rose plus foncée et 'Fukubana', le plus coloré, des fleurs rose madère.

Prunus subhirtella
'Pendula Rosea'

P

Arbre gracieux, en forme de champignon, idéal pour les petits jardins. Fin mars ou début avril, ses fines branches retombantes sont parsemées de petites fleurs simples, roses en boutons, puis blanc rosé. Son feuillage se colore richement en automne. 'Pendula Rubra' est encore plus brillant, avec ses fleurs rose foncé.

Prunus × yedoensis

P

Hybride entre *P. speciosa* et *P. subhirtella,* ce gracieux cerisier tire toute sa valeur de la profusion de ses fleurs blanc rosé, à odeur d'amande, avant l'apparition des feuilles, fin mars ou début avril. Ses feuilles prennent de jolies teintes d'automne.

Prunus serrulata 'Tai Haku'. *Ses fleurs sont les plus grandes de tous les cerisiers à fleurs.*

PTEROCARYA

Beaux arbres à feuilles caduques, composées pennées appartenant à la famille du noyer ; leurs fruits sont ailés et réunis en grappes effilées, pendantes. Ils se plaisent dans la plupart des sols et confèrent une touche d'exotisme aux parcs et aux jardins.

Pterocarya fraxinifolia

G

Arbre rustique de croissance rapide, développant une large cime à l'état isolé, plus haut et souvent drageonnant en massifs. Il produit un bel effet par son feuillage et par ses longs chatons verdâtres, bientôt remplacés par des grappes de curieuses noix ailées, de la grosseur d'un pois. Il aime les sols humides et drageonne fortement en bordure des pièces d'eau. Il est originaire du Caucase.

Pterocarya fraxinifolia.
Arbre élégant et rustique, appréciant les sols humides.

PYRUS

Les poiriers, arbres caducs et rustiques, s'adaptent à la plupart des sols et à la sécheresse; ils résistent au voisinage de la mer et à la pollution atmosphérique. Tous portent des bouquets de fleurs blanches, en avril; plusieurs d'entre eux sont attrayants par leur feuillage gris argenté.

Pyrus calleryana 'Bradford'

M

Cette forme sélectionnée d'une espèce d'origine chinoise est largement plantée en alignement, aux Etats-Unis, pour sa ramure dense et ses feuilles d'un vert brillant. Elle est peu répandue en France.

Pyrus nivalis

P

Originaire du sud de l'Europe, c'est le plus attrayant des arbres à feuilles argentées. En avril, ses branches fortes et dressées se couvrent de fleurs blanches alors qu'apparaissent ses feuilles laineuses blanches, puis grises. On crée une scène intéressante en associant une plante sarmenteuse pourpre, tel *Vitis vinifera* 'Purpurea', ou jaune comme *Humulus lupulus* 'Aureus' au *Pyrus nivalis*.

Pyrus nivalis. Le plus bel arbre à feuilles argentées.

Pyrus salicifolia 'Pendula'

P

Le plus commun des poiriers d'ornement; il forme une cime dense, arrondie, dont les branches retombantes sont revêtues de feuilles gris argenté, duveteuses et étroites, qui deviennent gris verdâtre au cours de la saison. Comme pour l'espèce précédente, la vigne à feuilles pourpres qui se développe dans ses branches s'allie bien avec son feuillage.

Pyrus ussuriensis

MP

Arbre élégant, du nord de l'Asie, dont les feuilles allongées et pointues, d'un beau vert brillant, virent au bronze et cramoisi en automne.

QUERCUS

Quercus robur. Seuls les grands jardins peuvent accueillir dignement le chêne commun.

Les chênes constituent un vaste groupe d'arbres, caducs ou persistants, qui se rencontrent dans les régions froides, tempérées et tropicales. La plupart acquièrent de nobles proportions à l'état adulte et atteignent un grand âge. Certains chênes américains sont connus pour la richesse de leurs couleurs automnales, d'autres par les dimensions imposantes de leurs feuilles. Leurs fleurs unisexuées se développent sur le même sujet, les fleurs femelles donnant naissance aux glands. Les espèces décrites ici sont relativement rustiques et, sauf indication contraire, accommodantes sur les sols et les situations; aucune ne convient réellement pour les petits jardins.

Quercus canariensis. Son feuillage est presque persistant.

Quercus canariensis

G

Bel arbre rustique et de croissance rapide qui développe une tête arrondie; ses grandes feuilles à peine lobées, vert foncé, pâles dessous, abondantes, donnent un aspect compact à la couronne. En hiver, les feuilles desséchées ne tombent qu'après le Nouvel An. Originaire d'Afrique du Nord et du sud de l'Espagne, ce chêne vient dans tous les sols, même calcaires ou argileux.

Quercus castaneifolia

MG

Voisin du *Quercus cerris,* ce chêne du Caucase porte des feuilles oblongues, grossièrement dentées, d'un vert brillant, qui, en fin de saison, se parent de riches couleurs cuivrées et dorées.

Quercus cerris

G

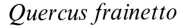

Le chêne de Turquie, plus commun que le précédent, est un arbre très vigoureux, excellent pour former des brise-vent dans les zones littorales; il résiste dans les terres calcaires et sèches. Ses feuilles à lobes peu profonds sont luisantes dessus, velues et rugueuses dessous. Son cultivar 'Variegata', aux feuilles nettement marginées et striées de blanc crème, est un peu moins vigoureux que l'espèce type.

Quercus coccinea

G

Le chêne écarlate est l'un des plus spectaculaires parmi les grands arbres cultivés pour leurs teintes automnales. Il croît rapidement dans sa jeunesse et devient rapidement un arbre élevé, à la cime plutôt lâche. Ses grandes feuilles, profondément découpées, sont lustrées sur leurs deux faces et se teintent d'écarlate vif en automne, coloration qui se développe par places, souvent branche après branche. Il est tout à fait rustique, mais il ne réussit pas en sol calcaire. Il nous vient du nord-est des Etats-Unis. Propagée par greffage, 'Splendens' en est la meilleure sélection.

Quercus frainetto

G

De croissance rapide, le chêne de Hongrie a de grandes et larges feuilles, profondément lobées et de bel aspect; les spécimens âgés montrent une écorce rugueuse, fortement fissurée. Rustique, il prospère dans tous les sols, sauf dans les terres humides.

Quercus x hispanica 'Lucombeana'

G

Arbre imposant qui, lorsqu'il est entièrement développé, peut rivaliser avec le chêne vert pendant l'été. Il provient du croisement entre le chêne-liège et le chêne de Turquie; ses feuilles et son écorce ont des caractères intermédiaires entre ceux de ses parents: les premières, quoique caduques, demeurent sur les rameaux jusqu'au Nouvel An, alors que l'écorce liégeuse est fortement fissurée. Excellente essence pour la plupart des sols, notamment pour les terrains superficiels et calcaires.

Quercus cerris 'Variegata'. *Une belle panachure.*

Quercus coccinea 'Splendens'. *Une des gloires de l'automne.*

115

Quercus frainetto.
Le feuillage élégant du chêne de Hongrie.

Quercus ilex

M

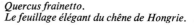

Peu d'arbres égalent le chêne vert ou yeuse pour son beau feuillage persistant, surtout en hiver quand il tranche sur les ramures grises et nues. L'aspect de ses feuilles diffère beaucoup selon l'âge des sujets; sur les arbres âgés, elles sont coriaces, vert foncé dessus, duveteuses et grisâtres dessous, inermes ou presque; sur les jeunes arbres, elles sont souvent vertes et glabres et bordées de dents épineuses. En mai-juin, apparaissent des pousses blanchâtres, laineuses et des chatons jaunes pendants. Bien rustique et prospérant dans tous les sols sains, le chêne vert tolère l'ombrage et les vents marins. Il est originaire du sud-ouest de l'Europe où il croît dans les terrains calcaires, contrairement au chêne-liège.

Quercus robur

G

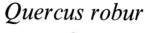

On ne peut trop vanter les mérites du chêne commun, largement répandu dans toute l'Europe, le sud-ouest de l'Asie et le nord de l'Afrique. C'est un arbre de port majestueux, doué d'une grande longévité, dont les branches constituent une large cime; ses feuilles à pétiole court sont peu profondément lobées. A l'automne, elles persistent en partie sur les branches après dessèchement. Peu d'arbres sont autant mêlés que lui à l'histoire des peuples d'Europe et dans notre pays, il existe ici et là des spécimens très âgés, témoins du temps où les forêts de chênes couvraient une grande partie de la France.

Rustique et s'accommodant de la plupart des sols et des situations, le chêne commun a donné des cultivars nombreux et intéressants:

Quercus ilex.
Le chêne vert est un bel arbre à feuillage persistant.

Quercus robur 'Fastigiata'. *Ce jeune sujet de chêne fastigié pourra atteindre une hauteur considérable.*

Quercus rubra. Certains clones du chêne rouge ont des couleurs très riches en automne.

Quercus robur 'Concordia'

P

Ce cultivar est de croissance plus lente que le type; lorsqu'il est bien développé, c'est l'un des meilleurs arbres dorés, comparable pour son effet au peuplier doré *(Populus serotina* 'Aurea'*)* bien que plus petit et moins vigoureux que lui; sa cime est arrondie et ses feuilles demeurent jaune d'or pendant le printemps et l'été; obtenu par les pépinières Van Geert de Gand en 1843.

Quercus x turneri.
Un remarquable spécimen à Kew Gardens (Angleterre).

Quercus robur 'Fastigiata'

G

C'est un arbre de port fastigié et élancé lorsqu'il est jeune, il s'élargit ensuite en une forte colonne; il atteint une hauteur considérable et convient pour être planté isolément.

Quercus rubra

G

Le chêne rouge, de l'est des Etats-Unis, est l'un des arbres les plus vigoureux et les plus spectaculaires. Dans un sol dépourvu de calcaire, il donne rapidement de magnifiques spécimens à grandes feuilles lobées qui prennent de vives couleurs en automne. Cependant, du fait que les arbres sont propagés par semis, ces couleurs varient beaucoup selon les sujets: rouge intense, jaune ou parfois rouge-brun. Il s'accommode de presque toutes les situations, même des zones industrielles et constitue une excellente essence pour les parcs et les grands jardins.

Quercus rubra 'Aurea'

PM

C'est une forme relativement rare, cultivée principalement pour l'effet qu'elle produit au printemps, quand apparaissent ses feuilles dorées qui deviennent vertes au début de l'été; ce joli chêne demande une exposition à demi ombragée, pour éviter que les rayons de soleil occasionnent des brûlures au feuillage.

Quercus × turneri

PM

Obtenu à la fin du XVIIIe siècle par croisement entre le chêne vert et le chêne commun, cet arbre forme une cime arrondie et dense, garnie de feuilles semi-persistantes, allongées, à grosses dents arrondies, de teinte vert foncé. Ses feuilles ne tombent pas avant le début de la nouvelle année. Cette essence, très rustique et peu exigeante, convient spécialement dans les terres superficielles et calcaires.

Quercus velutina 'Rubrifolia'

G

Quoique relativement rare, ce chêne est tout à fait remarquable par ses énormes feuilles vert foncé, brillantes, qui atteignent 40 cm de long sur 25 cm de large et qui prennent de chaudes teintes rouges, brunes et jaunes en automne. Rustique et vigoureux, il ne supporte pas le calcaire. On tire de l'écorce interne du *Quercus velutina* une belle teinture jaune, le quercitron.

Quercus velutina 'Rubrifolia'.
Arbre de 18 ans, aux grandes feuilles élégantes.

RHUS

Arbres et arbrisseaux rustiques à feuilles caduques cultivés principalement pour leurs grandes feuilles composées, à folioles nombreuses, richement colorées en automne. Les fleurs unisexuées mâles et femelles, portées par des pieds différents, sont insignifiantes. De culture facile, peu exigeants sur le sol et tolérant la pollution de l'air, ils constituent de jolis petits arbres pour les plantations urbaines.

Rhus trichocarpa

P

Arbre originaire de Chine et du Japon, attrayant par ses grandes feuilles rappelant celles du frêne et rassemblées à l'extrémité des branches; d'abord rose cuivré, elles deviennent d'un beau vert en été, puis tournent à l'écarlate ou à l'orangé en fin de saison. En automne, l'arbre produit un effet saisissant avec une partie de ses feuilles colorées pendant que d'autres sont encore vertes.

Rhus typhina 'Laciniata'.
Un des plus chauds coloris d'automne.

Rhus trichocarpa. Un arbre de 17 ans en livrée automnale.

Rhus typhina

P

Le sumac de Virginie est un petit arbre couramment planté dans les jardins urbains; il forme une cime globuleuse ou légèrement aplatie, particulièrement attrayante en automne lorsque ses feuilles deviennent rouge écarlate, orange et jaunes. Même en hiver, ses gros rameaux brun rougeâtre couverts d'un duvet dense et velouté ne manquent pas d'intérêt, surtout ceux des sujets femelles qui se couronnent de gros fruits rouge foncé, réunis en sortes de cônes qui persistent jusqu'au printemps. Il drageonne abondamment, ce qui rend sa multiplication aisée. Une taille sévère, effectuée tous les deux ans en mars, favorise le développement de pousses vigoureuses portant de très grandes feuilles. Celles-ci sont profondément découpées et ressemblent à des frondes de fougères chez le cultivar 'Laciniata'.

ROBINIA

Arbres et arbustes nord-américains, de la famille des Légumineuses, voisins des Gleditsia. Leurs feuilles composées pennées comprennent de nombreuses folioles et leurs rameaux sont généralement épineux. Ils sont rustiques, de croissance rapide et s'accommodent de la plupart des sols à l'exception des terrains fortement calcaires; ils se plaisent en particulier dans les sols sablonneux et secs. Les robiniers tolèrent la pollution atmosphérique et le voisinage de la mer, mais la fragilité de leur bois doit les faire proscrire des emplacements soumis aux vents violents. Pour bien fleurir, ils requièrent une situation bien ensoleillée.

inia pseudoacacia 'Rozynskyana'. Ses grandes feuilles mbantes lui donnent un aspect pleureur.

Robinia × ambigua 'Decaisneana'

M

Hybride entre *R. pseudo acacia* et *R. hispida* obtenu en France, vers 1860. Bel arbre aux fleurs rose pâle, réunies en grandes grappes pendantes, au milieu de feuilles vert tendre, fin mai, début de juin; très populaire, en particulier pour les plantations en alignement.

Robinia × hillieri

P

Arbre à cime arrondie, à branches fines et élancées portant un feuillage élégant. Fleurs légèrement odorantes, rose lilacé, en mai-juin. Provient du croisement entre *R. pseudoacacia* et *R. kelseyi*.

Robinia pseudoacacia

MG

Le faux acacia ou robinier commun a été introduit d'Amérique du Nord en France en 1601; l'un des premiers pieds existe encore au Jardin des Plantes, à Paris. Rustique et vigoureux, il drageonne abondamment et forme un fourré de tiges épineuses, aussi on l'utilise parfois pour maintenir les terres sablonneuses des talus abrupts. L'arbre adulte est recouvert d'une écorce épaisse, profondément sillonnée et ses branches contournées lui confèrent un aspect pittoresque. Il donne en abondance des fleurs blanches parfumées, en grappes pendantes, dès le milieu ou la fin de mai. Ses fleurs sont mellifères.

Il a donné un certain nombre de cultivars. En plus des trois figurant sur la page ci-contre, quelques-uns présentent un intérêt particulier : 'Bessoniana', de taille moyenne, presque inerme, excellent pour border les avenues; 'Pyramidalis', inerme et de port plus étroit et élancé que le peuplier d'Italie; 'Umbraculifera' ou robinier boule, cime globuleuse, inerme ne dépassant pas 4 m de diamètre, ne fleurit pas; 'Unifolia' (syn. 'Monophylla'), variété vigoureuse aux feuilles réduites à une seule ou trois folioles, dont la terminale très développée.

Robinia pseudoacacia 'Frisia'.
Un excellent arbre doré maintenant très répandu.

Robinia pseudoacacia 'Inermis'

P

Petit arbre à cime globuleuse et aux branches dépourvues d'épines, il est souvent confondu avec le robinier boule. Il faut lui éviter les situations trop exposées aux vents.

Robinia pseudoacacia 'Frisia'

PM

Obtenu aux Pays-Bas en 1935, cet arbre au feuillage magnifiquement coloré est devenu, surtout dans les dix dernières années, l'un des plus populaires et des plus demandés des arbres d'ornement. Son feuillage conserve une couleur dorée très nette du printemps jusqu'à l'automne.

Robinia pseudoacacia 'Rozynskyana'

P

Sous ce nom quelque peu compliqué, nous découvrons un arbre très élégant. Ses branches étalées s'inclinent à leur extrémité, mais ce sont surtout ses grandes feuilles retombantes qui donnent à cet arbre un aspect presque pleureur. Ses fleurs blanches en grappes, s'épanouissent en juin.

SASSAFRAS

Une seule espèce se rencontre dans les jardins. Elle se plaît dans les sols frais, sains et dépourvus de calcaire, de préférence dans une situation abritée par d'autres arbres.

Sassafras albidum

M

Arbre rustique produisant de nombreux drageons à l'état adulte. Ses fleurs sont insignifiantes et son principal intérêt réside dans son feuillage vert foncé, plus pâle ou glauque dessous, qui prend une jolie teinte jaune beurre en automne. Ses feuilles sont de formes variées, les unes ovales et entières, d'autres lobées et ressemblant aux feuilles du figuier; en hiver, le Sassafras présente une écorce rugueuse et fissurée et des rameaux onduleux. Il appartient à la famille des Lauracées; tous ses organes exhalent une odeur aromatique. Dans son pays d'origine, le nord-est des Etats-Unis, son écorce et ses racines sont parfois utilisées pour la préparation d'une tisane: le thé de Sassafras.

Sassafras albidum.
Les feuilles ont une forme très particulière.

SALIX

Les saules constituent un vaste groupe d'arbres et d'arbrisseaux rustiques, de culture facile. Plusieurs espèces, aussi vigoureuses que les peupliers, forment rapidement de grands spécimens: il convient donc de ne pas les planter à proximité de l'habitation ou des canalisations de drainage. D'autres, plus petites, conviennent parfaitement pour les jardins peu étendus. Toutes se plaisent dans les sols humides, quelle que soit leur composition. Les chatons de fleurs, les uns mâles, les autres femelles, sont portés par des pieds différents à la fin de l'hiver ou au début du printemps; les premiers sont généralement plus ornementaux que les seconds. Plusieurs saules à rameaux vivement colorés présentent un certain attrait pendant l'hiver.

Salix aegyptiaca

P

En février-mars, les gros rameaux à duvet gris de ce saule se couvrent de grands chatons mâles dorés qui produisent un bel effet à une époque où les fleurs sont rares. Originaire d'Orient, il se rencontre dans les vallées des rivières au Caucase.

Salix alba

G

Le saule blanc croît dans les marais et sur le bord des rivières, dans toute l'Europe et dans le nord de l'Asie et de l'Afrique. On le reconnaît aisément à ses feuilles étroites, argentées dessous, qui se parent de reflets changeants lorsque la brise les agite. C'est un arbre excellent pour le bord de la mer où il est souvent employé comme brise-vent.'Chermesina' (syn. '*Britcensis*') en est une variété dont les rameaux orangés ou rouge écarlate jettent une touche colorée dans les jardins pendant l'hiver, surtout si on prend soin de le tailler sévèrement tous les deux ans; 'Vitellina' constitue la version dorée de 'Chermesina'; 'Sericea' ou saule argenté est un arbre de taille moyenne, au feuillage d'une teinte gris argenté intense, d'un effet remarquable aussi bien de près qu'à distance.

Salix caprea 'Pendula'

P

Il s'agit du cultivar pleureur du saule marsault, si commun dans nos campagnes, dont les gros chatons dorés (mâles) ou argentés (femelles) apparaissent dès la fin de février. Petit arbre en forme de parasol, de sexe femelle, que ses faibles dimensions désignent pour l'ornementation des petits jardins.

Salix × chrysocoma

MG

Ce bel arbre, connu aussi sous les noms de *S. alba* 'Tristis' et de *S. alba* 'Vitellina Pendula', est le plus beau et l'un des saules pleureurs les plus populaires. Ses fortes branches arquées pendent parfois jusqu'au sol des rameaux fins et élancés, jaune doré. Il produit un très bel effet pendant l'hiver, mais aussi pendant la belle saison lorsqu'il est couvert de ses feuilles étroites et brillantes. Il provient du croisement entre *S. alba* 'Vitellina' et *S. babylonica*. Il a pratiquement supplanté ce dernier. Comme la plupart des saules, il croît très vite et forme en peu de temps une large cime, de sorte qu'il convient surtout pour les parcs et les grands jardins; on doit résister à la tentation trop fréquente de le planter dans les jardins exigus. Il est sujet aux attaques de l'anthracnose du saule qui provoque de petits chancres sur les rameaux et occasionne la chute partielle des feuilles au printemps; on ne peut prévenir la maladie par des traitement fongicides que sur les jeunes arbres.

Salix daphnoides

P

Si l'on devait planter un unique saule dans un jardin, c'est probablement celui-ci qu'il conviendrait de choisir. Ses pousses vigoureuses, à écorce pourpre foncé, sont couvertes d'une pruine glauque violacé d'un bel effet pendant l'hiver, surtout quand la plante est taillée sévèrement tous les deux ans pour favoriser le développement de forts rameaux très pruineux. Il est originaire du nord de l'Europe. En fin d'hiver, le cultivar 'Aglaia', de sexe mâle, produit en abondance de grands chatons jaunes, particulièrement décoratifs.

Salix alba 'Sericea'.
Le coloris remarquable du saule argenté.

Salix chrysocoma. Le saule pleureur est l'arbre pleureur le mieux connu, et l'un des plus majestueux.

Salix alba 'Chermesina'.
D'un grand effet en hiver après une taille sévère.

Salix caprea 'Pendula'. *Un arbre pleureur compact pour un petit jardin.*

Salix matsudana

M

Arbre gracieux, à rameaux fins garnis de feuilles étroites, grisâtres dessous. Originaire de Mandchourie et de Corée, c'est une excellente espèce pour les sols secs et les zones froides et peu fertiles.

Salix matsudana 'Pendula'

PM

Belle variété pleureuse, très recommandable dans les jardins peu étendus; moins commun que le *S. x chrysocoma,* il a le gros avantage de résister de façon satisfaisante à l'anthracnose du saule.

Salix matsudana 'Tortuosa'

M

Ce cultivar se reconnaît aisément à ses branches et à ses rameaux curieusement contournés; il peut devenir un point d'attraction dans le jardin, particulièrement pendant l'hiver lorsque son étrange végétation est bien mise en évidence.

Salix matsudana 'Tortuosa'.
Un arbre décoratif, surtout remarquable en hiver.

Salix purpurea

P

Originaire de toute l'Europe et de l'Asie occidentale et centrale, le saule pourpre est l'une de nos plus belles espèces indigènes. Souvent de port arbustif, il peut être élevé facilement sur un tronc et ses longues branches minces et arquées s'étendent alors dans toutes les directions. En mars-avril, ses rameaux se couvrent de chatons effilés, réunis souvent par paires et auxquels succèdent des feuilles étroites, vert foncé, glauques dessous. Lorsqu'on gratte l'écorce des jeunes pousses, le bois jaune vif apparaît. Ce saule est très plastique, il se plaît aussi bien dans les terrains relativement secs que dans les sols humides. On utilise couramment comme osier ses longs rameaux flexibles.

Salix purpurea 'Eugenei'

P

Ce saule, l'une des meilleures variétés du saule pourpre, se développe en un cône élancé. C'est un clone mâle dont les chatons grisâtres, teintés de rose, couvrent ses branches érigées au premier printemps et le rendent alors très attrayant.

Salix purpurea 'Pendula'

P

Excellent saule pleureur pour les petits jardins; il a le charme et l'élégance des grands saules à une échelle réduite, de sorte qu'il est peu encombrant.

Salix matsudana 'Tortuosa'. *L'extraordinaire enchevêtrement de ses branches en hiver.*

SOPHORA

Arbres à feuilles caduques, au feuillage fin et élégant, peu délicats et prospérant dans tous les sols sains.

Sophora japonica.
Un arbre élégant ne fleurissant qu'après plusieurs années.

Sophora japonica 'Pendula'.
Un petit arbre à port très pleureur.

Sophora japonica

M

Originaire de Chine et largement répandue au Japon, cette espèce est commune dans nos jardins. L'arbre adulte a une cime arrondie, une écorce rugueuse et des feuilles composées pennées à nombreuses folioles qui ressemblent à celles du robinier. Ses fleurs blanc crème forment de grandes panicules terminales, en été et au début de l'automne. Le sophora ne fleurit qu'en sujets âgés d'une vingtaine d'années au moins; sa floraison est abondante au cours des étés chauds et dans les régions méridionales. Il résiste bien au calcaire.

Sophora japonica 'Pendula'

P

Ce cultivar de petite taille ne fleurit pas, mais il séduit par ses branches raides qui retombent parfois jusqu'au sol; il convient comme spécimen isolé sur pelouse et pour former des tonnelles. Il demande à être débarrassé périodiquement des rameaux desséchés qui apparaissent dans sa ramure.

SORBUS

Parmi les arbres les plus intéressants pour les petits jardins, les sorbiers ne le cèdent qu'aux cerisiers (Prunus) et aux pommiers à fleurs (Malus); ils comprennent une gamme variée d'espèces qui forment deux groupes: les alisiers et les sorbiers. Les premiers se distinguent par leurs grandes feuilles simples, ovales, vert grisâtre, revêtues au printemps d'un duvet argenté, les seconds, de loin le groupe le plus important, par leur feuillage et leurs fruits; leurs feuilles sont composées comme celle d'un frêne et prennent de riches coloris en automne. Tous les sorbiers sont rustiques et prospèrent dans presque tous les sols et toutes les situations; ils supportent aussi bien la pollution atmosphérique que les coups de vent au bord de la mer. S'ils n'ont pas une grande longévité, ils compensent cette infériorité par d'indéniables qualités culturales et par leur valeur esthétique. Leurs feuilles sont caduques et, à part quelques exceptions qui seront signalées, leur port généralement érigé à l'état jeune s'élargit avec l'âge.

Sorbus alnifolia

MP

Cette espèce japonaise, rare mais méritante, est très rustique; elle forme une belle cime compacte dont les branches érigées sont abondamment garnies de feuilles à dents aiguës, ressemblant quelque peu à celles du charme. A l'automne, lorsque l'arbre produit de petites baies ovales, rouge orangé, elles prennent de chaudes teintes orangées et écarlates.

Sorbus aria

MP

Originaire de toute l'Europe, l'alisier blanc se rencontre sur les collines calcaires où il est souvent associé avec l'if. Il est extrêmement robuste et résiste aussi bien aux rafales de vent sur le littoral qu'à l'air pollué des cités industrielles. Sa ramure arrondie est vêtue de feuilles dentées, couvertes d'un duvet blanc lorsqu'elles sortent des bourgeons, puis devenant ensuite gris verdâtre à revers blanc, pendant l'été, avant de prendre des tons rouille et or, en automne, au moment où apparaissent des bouquets de fruits carmin ou orangés, marqués de points bruns. Ses fleurs blanc crème réunies en bouquets corymbiformes s'épanouissent en mai. 'Decaisneana', dont le port est fastigié en jeunes sujets, porte de grandes feuilles qui atteignent souvent 12 à 1˙5 cm de long et des fruits cramoisi foncé, plus gros et plus attrayants; *'Lutescens'* se distingue de l'espèce type seulement au printemps par la pubescence blanc crème de ses jeunes feuilles; par la suite, celles-ci prennent la couleur gris verdâtre de l'alisier blanc.

Sorbus aucuparia 'Beissneiri'. *La belle couleur orange de son tronc est une caractéristique de la variété.*

Sorbus aucuparia

MP

Le sorbier des oiseleurs est l'un des plus beaux arbres indigènes, ses feuilles composées comprennent de nombreuses folioles à dents aiguës; en mai, elles sont accompagnées de bouquets aplatis de fleurs blanc crème. C'est le premier sorbier dont les fruits se colorent à partir du milieu de juillet; réunis en gros corymbes d'un rouge vif, ils apportent une note colorée dans les jardins en été et en automne, avant que les oiseaux ne les consomment. Commun et de culture facile, c'est un arbre de grand mérite qui se plaît à peu près dans toutes les situations et dans tous les sols, bien qu'il vive moins longtemps que l'alisier blanc dans les sols calcaires et peu profonds. On le rencontre à l'état spontané dans toute l'Europe et il a donné différentes formes. Les plants obtenus par semis sont utilisés comme sujets porte-greffes pour multiplier ses cultivars ainsi que quelques espèces voisines de sorbiers.

Sorbus cuspidata. L'alisier de l'Himalaya, avec ses grandes feuilles à revers argenté.

Sorbus aucuparia 'Beissneri'

P

Bel arbre à l'écorce d'une chaude couleur orange cuivrée, luisante par temps humide et qui se recouvre d'une fine pruine blanchâtre sous l'influence de la sécheresse. Cet aspect de l'écorce est plus marqué dans les régions arides où l'écorce ne se revêt pas d'algues ou de mousses. La cime est dense, formée de branches érigées; les feuilles, à folioles profondément incisées, rappellent le feuillage des fougères.

Sorbus aucuparia 'Fastigiata'

P

De croissance relativement lente, ce sorbier à fortes branches raides et dressées a l'apparence d'un factionnaire dans le jardin. Ses larges feuilles amples vert foncé constituent le fond sur lequel ressortent ses gros fruits rouges, groupés en bouquets volumineux. Elevé sur un tronc ou garni de branches jusqu'au sol, il forme une colonne peu encombrante qui trouve place dans les jardins les plus exigus.

Sorbus cashmiriana

P

D'aspect très différent du précédent, cet arbre à cime assez lâche porte des feuilles aux folioles profondément dentées et des corymbes de fleurs rose pâle, en mai; celles-ci produisent des fruits relativement gros, blancs, brillants, d'aspect marbré, qui pendent le long des branches en bouquets peu serrés. Comme la plupart des baies blanches ou jaunes, ils n'attirent pas l'attention des oiseaux qui les dédaignent, de sorte qu'ils demeurent sur les arbres jusqu'à la chute des feuilles et même au-delà.

Sorbus cuspidata

M

L'alisier de l'Himalaya a une silhouette élancée très caractéristique qui s'élargit un peu avec l'âge. Il est remarquable par ses grandes feuilles arrondies, dépassant parfois 25 cm de longueur, qui sont d'abord recouvertes d'un duvet blanc, puis qui deviennent gris-vert dessus et blanc argenté dessous. Ses bouquets de fleurs blanc crème sont remplacés en automne par des fruits globuleux ou pyriformes, brun-gris, ressemblant à de petites reinettes grises. Bel arbre vigoureux et rustique, s'adaptant à tous les sols.

Sorbus hupehensis

P

Originaire de l'ouest de la Chine, cet arbre est reconnaissable, même à distance, par le coloris vert bleuâtre de ses feuilles composées, aux folioles profondément incisées; il croît vigoureusement et produit des branches brun pourpre, érigées lorsqu'il est jeune. En automne, ses fruits blancs ou teintés de rose pendent tout le long des branches en bouquets lâches; ils persistent une partie de l'hiver.

Sorbus hybrida 'Gibbsii'

PM

En dépit de son nom, *S. hybrida* est une véritable espèce originaire de Suède, à cime arrondie et aux grandes feuilles vert foncé dessus, grises et veloutées dessous, profondément lobées à la base, avec parfois une ou deux paires de folioles. Le cultivar 'Gibbsii' a un port compact et de gros fruits rouge brillant, en larges bouquets; il est robuste et s'adapte aisément à toutes les situations.

Sorbus aria 'Lutescens'.
Feuillage blanc-crème au printemps.

Sorbus aria 'Decaisneana'. *Un des meilleurs alisiers.*

Sorbus aucuparia.
Le sorbier des oiseleurs dans toute sa splendeur.

Sorbus aucuparia 'Fastigiata'.

Sorbus x kewensis. Une grosse production de fruits.

Sorbus scalaris.
Outre ses fruits, il a un beau feuillage d'automne.

Sorbus vilmorinii. Un feuillage élégant et un port gracieux.

Sorbus 'Joseph Rock'. Comme les fruits blancs, les fruits jaunes ne sont guère appréciés des oiseaux et restent sur l'arbre.

Sorbus cashmiriana.
Les fruits blancs persistent très longtemps.

Sorbus hybrida 'Gibbsii'.
Il s'adapte facilement à toutes les situations.

Sorbus intermedia

PM

L'alisier de Suède est un bel arbre à cime globuleuse et dense, convenant particulièrement bien pour les jardins urbains; ses feuilles dentées au sommet, lobées à la base ont une jolie teinte verte et brillante, elles portent un feutrage gris à leur face inférieure. Ses fruits rouge orangé sont de la grosseur d'un grain de chasselas.

Sorbus 'Joseph Rock'

P

Dédié au célèbre explorateur américain et collecteur de plantes du nord-ouest de la Chine, ce magnifique arbre mérite bien les éloges qui lui ont été décernés. Comme la plupart des sorbiers vrais, les jeunes sujets ont des branches qui s'élancent presque verticalement en formant une tête compacte. Les feuilles, composées de nombreuses folioles dentées, tournent du vert brillant de l'été à une combinaison flamboyante d'orange, de rouge, de cuivre et de pourpre en automne, au moment même où les bouquets de fruits, blanc crème ou jaune ambré, scintillent sur le fond coloré du feuillage. Les fruits, respectés par les oiseaux, persistent après la chute des feuilles.

Sorbus × kewensis

P

Ce splendide hybride entre *Sorbus pohuashanensis* et *Sorbus aucuparia* est le plus fructifère de tous les sorbiers; ses branches ploient sous la charge de gros bouquets de fruits rouge orangé ou vermillon qui, comme ceux du sorbier des oiseleurs, se colorent tôt en saison, dès la fin de juillet et constituent un joli spectacle. En automne, ses feuilles à folioles étroites, profondément dentées, qui évoquent des frondes de fougères, prennent une riche teinte pourpre.

Sorbus meliosmifolia

P

Arbre originaire de l'ouest de la Chine, rare, mais très ornemental par sa cime compacte de branches dressées et ses grandes feuilles ovales d'un vert brillant, à veines nombreuses, parallèles, bien marquées. Ses corymbes de fleurs blanches apparaissent avec les premières feuilles en avril, et donnent des fruits rouge-brun, qui persistent longtemps après la chute des feuilles.

Sorbus meliosmifolia.
Fruits bruns et feuilles élégamment ondulées.

Sorbus alnifolia.
Un aspect très net et de belles couleurs en automne.

131

Sorbus scalaris

P

Bel arbre à port élégant, largement étalé; ses longues branches arquées se courbent parfois gracieusement vers le sol. Il est garni de feuilles composées, vert brillant, formées de nombreuses folioles rappelant des frondes de fougères et groupées en rosettes tout le long des branches. Aux fleurs blanches printanières succèdent de nombreux fruits petits, rouge vif, de maturité relativement tardive et qui ne se colorent que lorsque les feuilles ont acquis elles-mêmes leur belle teinte rouge pourpre. Originaire de l'ouest de la Chine, c'est un arbre de premier ordre pour tous les jardins de taille suffisante.

Sorbus × thuringiaca 'Fastigiata'

P

En réalité, la cime de cet arbre a davantage l'aspect d'un losange que d'un cône. Ses branches, raides et érigées, sont si étroitement serrées que la tête est dense et impénétrable. Ses feuilles sont divisées à leur base et seulement lobées profondément dans la moitié supérieure, vert foncé dessus, grisâtres et tomenteuses dessous. Des bouquets de fruits rouge brillant succèdent à ses fleurs blanches. Hybride entre l'alisier blanc *S. aria* et le sorbier des oiseleurs *S. aucuparia,* cet arbre possède toutes les qualités de ses parents en ce qui concerne la rusticité et la parfaite adaptation à des sols variés. Il est particulièrement recommandé pour les jardins urbains où l'espace est limité.

Sorbus vilmorinii

P

Encore un beau sorbier de l'ouest de la Chine, intéressant par son port gracieux. Il forme une cime à branches fines et étalées, garnies de bouquets de feuilles semblables à des frondes de fougères, composées de nombreuses folioles finement dentées qui se teintent de rouge et de pourpre en automne. Les petits fruits, réunis en bouquets lâches et retombants, sont d'abord rouge clair, luisants; ils passent graduellement au rose, puis au blanc rosé. Ils durent longtemps et garnissent les branches bien après la chute des feuilles. Convient pour les petits jardins.

Sorbus x kewensis. Sans doute le sorbier le plus fructifère.

Sorbus hupehensis.
Une des meilleures espèces à fruits blancs.

STEWARTIA

Arbres à feuilles caduques, remarquables par leur floraison estivale, leurs couleurs automnales et leur écorce décorative. Ils se plaisent tous dans les sols frais, bien drainés et dépourvus de calcaire. Appréciant aussi les situations abritées, ils redoutent d'être dérangés; il y a donc intérêt à les planter en jeunes sujets et dans un emplacement où leur système radiculaire superficiel n'aura pas à souffrir de l'action directe des rayons du soleil en été.

Stewartia koreana

PM

Bel arbre de port élégant, souvent conique lorsqu'il est jeune. Feuilles ovales, terminées en pointe fine à l'extrémité, prenant en automne des teintes très brillantes et chaudes: rouge orangé ou brun orangé. Fleurs solitaires à l'aisselle des feuilles, blanches, bien ouvertes, dépassant 6 cm de diamètre, avec une touffe d'étamines jaunes au centre; elles s'épanouissent en juillet-août, pendant une longue période. Ecorce écailleuse d'un bel effet.

Stewartia pseudocamellia. De riches coloris.

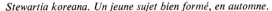

Stewartia koreana. Un jeune sujet bien formé, en automne.

Stewartia pseudocamellia. Sur les vieux spécimens, l'écorce est curieusement bigarrée.

Stewartia pseudocamellia

PM

Cette espèce japonaise, à floraison de longue durée, croît vigoureusement lorsqu'elle est bien établie. Ses branches élancées et arquées se couvrent de fleurs blanches de 5 à 6 cm de diamètre en forme de coupe en juillet-août; elles s'ouvrent rapidement et tombent, mais sont aussitôt remplacées par d'autres fleurs. En automne, ses feuilles se colorent vivement en jaune et en rouge pourpre. L'écorce écailleuse des arbres âgés est attrayante, surtout pendant l'hiver.

STYRAX

Groupe d'arbres à feuilles caduques, intéressants à la fois par leurs fleurs et par leur feuillage. Comme les Stewartia, ils prospèrent dans les sols de consistance moyenne, frais, mais bien drainés et dépourvus de calcaire, au soleil comme à mi-ombre. Ils n'aiment pas être déplantés et demandent à être mis à leur place définitive quand ils sont encore jeunes et dans un emplacement soigneusement préparé.

Styrax japonica. Une pluie d'étoiles blanches sous les feuilles.

Styrax obassia. Jeune sujet aux larges feuilles élégantes.

Styrax japonica

P

Un grand spécimen de *Styrax* en pleine floraison est un magnifique spectacle. Ses branches minces, disposées comme des frondes de fougères et largement étalées, se recouvrent l'une l'autre en formant une cime dense. En juin, ses petites fleurs blanches, campanulées ou étoilées, pourvues d'une touffe d'étamines jaunes, garnissent en nombre prodigieux le dessous des branches. Comme les fleurs sont retombantes et cachées en partie par le feuillage, élégant mais dense, il convient de planter le *Styrax* de telle façon qu'on puisse l'observer par-dessous — sur un talus, par exemple — et apprécier pleinement la beauté de sa floraison.

Styrax obassia

P

D'apparence très différente du précédent, cette espèce japonaise développe une cime conique ou globuleuse habillée de grandes et belles feuilles arrondies, garnies en dessous d'un duvet épais et feutré. Sur les branches de deux ans, l'écorce brun châtain se détache en lambeaux recourbés. En juin, apparaissent de nombreuses fleurs blanches, odorantes, en forme de cloche, de 2,5 cm de longueur, seulement sur des sujets d'un certain âge. Il est important de favoriser le début de la végétation de cet arbre en ajoutant à la terre de plantation une quantité importante de tourbe et de terreau de feuilles et en le plaçant à l'abri d'autres arbres.

TILIA

Les tilleuls constituent un groupe important d'arbres caducs, rustiques, largement répandus dans les régions tempérées de l'hémisphère nord. Si leurs petites fleurs jaune verdâtre ne présentent pas grand intérêt, bien qu'elles soient produites en abondance, leur feuillage est attrayant et la plupart des tilleuls forment de remarquables spécimens pour les parcs et les grands jardins. On les cultive aisément dans presque tous les sols; de plus, ils tolèrent la pollution atmosphérique et supportent les élagages sévères. On les reconnaît pendant la végétation à leurs feuilles cordiformes et alternes et pendant l'hiver à leurs rameaux en zig-zag, sur lesquels persistent souvent des fruits munis d'une bractée florale.

Tilia cordata

MG

Le tilleul des bois, ou tilleul à petites feuilles, est avec le *Tilia platyphyllos* l'une de nos deux espèces de tilleuls indigènes; il forme une jolie tête arrondie, garnie de petites feuilles cordiformes de 5 à 7 cm de long seulement, coriaces et vert foncé luisant. Ses fleurs blanc ivoire, agréablement parfumées, s'épanouissent en juillet.

Tilia × euchlora

M

Arbre élégant, devenant dense et rameux avec des branches basses retombantes en spécimens âgés; feuilles assez grandes, arrondies et d'un beau vert brillant dessus. C'est probablement l'hybride entre le précédent et un tilleul du Caucase, peu répandu: *Tilia dasystyla*. De belle apparence, il n'est pas attaqué par les pucerons et par conséquent demeure exempt de miellat.

Tilia × europaea

G

Provient du croisement entre *T. cordata* et *T. platyphyllos*. Utilisé autrefois dans les plantations, en particulier en alignement, il est maintenant remplacé par d'autres tilleuls en raison de son caractère fortement drageonnant. Son cultivar 'Wratislaviensis', peu courant, a de jeunes feuilles dorées qui deviennent vertes à l'état adulte; il a le même caractère ornemental que le peuplier doré: *Populus* 'Serotina Aurea'.

Tilia mongolica

P

C'est une des rares espèces de tilleul convenant pour les petits jardins. Il développe une cime régulière, arrondie et compacte et se reconnaît à ses petites feuilles, découpées en trois lobes, au moins sur les jeunes arbres, et profondément dentées. En fait, ces feuilles ressemblent à celles de certains *Crataegus*; elles sont vert brillant pendant l'été et virent au jaune beurre en automne.

Tilia europaea 'Wratislaviensis'. *Jeunes feuilles dorées.*

Tilia mongolica. Un tilleul peu connu,
aux feuilles profondément dentées.

Tilia petiolaris

G

Avec le *Salix x chrysocoma,* c'est le plus spectaculaire des grands arbres pleureurs. Ses longues branches, qui retombent jusqu'au sol, forment une cime globuleuse garnie d'un épais manteau de grandes feuilles arrondies, vert foncé dessus et couvertes d'un feutrage blanc dessous; ces feuilles présentent successivement leurs deux faces lorsque la brise les agite pour offrir l'attrait de leurs reflets changeants. Ses petites fleurs, tardives et agréablement parfumées, ont un effet narcotique sur les abeilles, comme celles du tilleul argenté dont il est voisin. Arbre d'origine incertaine, peut-être hybride.

Tilia platyphyllos

G

Connu sous le nom de Tilleul de Hollande, cet arbre indigène, vigoureux, a le même aspect que le *T. x europaea,* mais ses jeunes rameaux et ses feuilles sont pubescents. Il ne drageonne pas ou très peu et convient donc bien pour border les avenues. Ses fleurs parfumées apparaissent au début de juin. Il est répandu dans les plantations, ainsi que ses cultivars:

Tilia platyphyllos 'Laciniata'

PM

Intéressant en raison de son port dense et de ses feuilles profondément découpées et dentées, il remplace avantageusement l'espèce type quand la place est mesurée.

Tilia tomentosa.
Un jeune tilleul argenté au port érigé.

Tilia platyphyllos 'Rubra'

G

Arbre d'avenue très populaire; port régulier, érigé, relativement compact; jeunes rameaux rouge vif, de bel effet pendant l'hiver; arbre à conseiller pour les zones industrielles.

Tilia tomentosa

G

De port conique lorsqu'il est jeune, le tilleul argenté s'élargit avec l'âge et devient alors un arbre majestueux à cime très régulière et aux grandes feuilles arrondies, fortement dentées, vert foncé dessus, blanchâtres et duveteuses dessous, d'aspect changeant quand le vent les agite. Ses fleurs apparaissent seulement dans le courant de juillet. Originaire du sud-est de l'Europe, notamment de la Hongrie, il est couramment planté dans les parcs et le long des avenues.

Tilia x euchlora. Remarquable spécimen, avec ses feuilles brillantes et ses branches allant jusqu'au sol.

Tilia platyphyllos 'Laciniata'.
Un tilleul au port dense, décoratif par ses feuilles finement découpées.

ULMUS

Les ormes comptent parmi les arbres les plus majestueux de nos parcs. Rustiques et de croissance rapide, ils se plaisent dans la plupart des sols et des situations ; ils résistent également bien aux vents violents et à la pollution de l'air. Leurs fleurs, petites et insignifiantes, apparaissent avant les feuilles chez la plupart des espèces et leurs fruits mûrissent à la fin de mai. Leurs feuilles, ordinairement asymétriques à la base deviennent jaune clair en automne. Ils ont beaucoup souffert de la maladie des ormes (Ceratostomella ulmi) qui s'est rapidement développée en Europe, depuis 1920. La création de cultivars résistants permet d'espérer que les ormes pourront reprendre la place éminente qu'ils occupaient autrefois dans les scènes paysagères.

Ulmus carpinifolia 'Cornubiensis'

G

Originaire des Cornouailles et de Bretagne, cet arbre développe une large cime pyramidale, devenant plus lâche et plus ouverte avec l'âge. Comme la plupart des ormes, il convient pour les jardins du littoral dans lesquels il résiste vaillamment aux bourrasques. On le confond souvent avec l'orme de Jersey.

Ulmus carpinifolia 'Dampieri'

M

D'aspect voisin de l'*U. glabra* 'Exoniensis', cet orme forme une cime plus élancée, étroite, régulière, abondamment garnie de larges feuilles, profondément dentées, d'un joli vert sombre.

Ulmus glabra 'Camperdownii'.
Cette forme de champignon est caractéristique de l'orme pleureur.

Ulmus carpinifolia 'Sarniensis'

G

L'orme de Jersey est un grand arbre, de port conique, dont les branches dressées constituent une cime plus étroite et plus dense que celle de l'*U. carpinifolia* 'Cornubiensis'; comme ce dernier, il a de petites feuilles. On le rencontre à l'état spontané à Jersey et sur les côtes de la Manche; il est assez répandu dans les plantations, en raison de sa bonne résistance aux vents, et il est très estimé pour sa forme comme arbre d'avenues.

Ulmus carpinifolia 'Sarniensis Dicksonii'

M

Arbre très ornemental à la fois par sa silhouette et par son coloris; ses petites feuilles dorées apportent leur note chaude et gaie dans les jardins, du printemps à l'automne. De croissance lente, il convient pour les parcs et les jardins de moyenne étendue.

Ulmus carpinifolia 'Wredei'

M

Sport de l'*U.* 'Dampieri', dont les feuilles demeurent d'une jolie teinte dorée pendant tout l'été; sa croissance est assez lente.

Ulmus glabra

G

Grand arbre indigène; dôme de branches largement étalées et arquées, retombantes à leur extrémité. Les feuilles très caractéristiques, larges, duveteuses, presque dépourvues de pétiole, se colorent en jaune à l'automne. C'est l'une des meilleures espèces pour les plantations au bord de la mer et aux expositions froides.

Ulmus glabra 'Camperdownii'

P

Plus commun que le frêne pleureur (*Fraxinus excelsior* 'Pendula'), l'orme pleureur convient encore mieux que lui pour l'ornementation des petits jardins. Sa cime en champignon est formée de branches serrées, sinueuses, retombant parfois jusqu'au sol et drapées de larges feuilles vert foncé. C'est un arbre excellent pour planter isolément sur une pelouse.

Ulmus carpinifolia 'Wredei'.
Jeune sujet montrant son port érigé typique.

Ulmus glabra 'Exoniensis'

GM

Arbre de moyenne ou de grande taille, en colonne étroite lorsqu'il est jeune, s'élargissant un peu avec l'âge; grandes feuilles à bord dentelé, réunies en bouquets serrés et d'aspect singulier. En dépit de son port, ne convient pas pour les jardins exigus.

Ulmus procera. Un orme commun en automne, dans toute sa splendeur.

Ulmus carpinifolia 'Sarniensis'. Un exemplaire typique en hiver.

Ulmus glabra 'Pendula'

P

Le qualificatif 'Horizontalis' convient mieux à cet arbre que celui de 'Pendula', car si ses branches largement étalées sont un peu retombantes, elles le sont beaucoup moins que celles de l'*U. glabra* 'Camperdownii'; il est plus grand et plus étendu que lui. On peut en admirer de beaux exemplaires dans le square Jean XXIII, au chevet de Notre-Dame de Paris.

Ulmus procera

G

Peu de spectacles sont aussi impressionnants que celui d'un gros orme commun, surtout lorsqu'il est revêtu de sa parure dorée d'automne. Voisin de l'*U. carpinifolia,* on le rencontre à l'état spontané en Grande-Bretagne et dans l'ouest de l'Europe où il fait partie intégrante du paysage. Il a souffert gravement de la maladie des ormes: on peut cependant sauver les

beaux exemplaires par des traitements chimiques; par ailleurs, plusieurs clones de cette espèce résistants à la maladie ont été sélectionnés.

Ulmus procera 'Argenteo Variegata'

G

Les feuilles de ce cultivar sont rayées, tachetées et mouchetées de blanc crème et de gris argenté, d'un bel effet. Arbre remarquable lorsqu'il est de belle venue.

Ulmus pumila arborea

P

Originaire de l'ouest de la Sibérie et du Turkestan, cet orme, peu répandu mais élégant, convient pour les emplacements exigus. Ses petites feuilles sont disposées régulièrement selon deux rangées opposées tout le long des rameaux, ce qui donne aux branches un aspect de fougère; il est réfractaire à la maladie des ormes.

Ulmus carpinifolia 'Sarniensis'.
Sujets vigoureux au port conique caractéristique.

Ulmus procera 'Argenteovariegata'. *Une panachure légère.*

Ulmus pumila arborea. Un orme élégant à petites feuilles.

Ulmus carpinifolia 'Dampieri'.
Les branches érigées forment une cime compacte.

ZELKOVA

Voisins des ormes, les Zelkova sont des arbres dont la valeur ornementale réside principalement dans leur joli feuillage et quelquefois dans leur port imposant. Ils prospèrent dans toutes les terres franches, profondes et saines ; ils tolèrent à la fois l'ombrage et la pollution atmosphérique.

Zelkova carpinifolia. Un beau spécimen en été.

Zelkova carpinifolia

G

Bien que ses feuilles crénelées, très régulières, produisent un bel effet pendant l'été, de même qu'en automne lorsqu'elles prennent une belle teinte dorée, cet arbre est un de ceux qu'on plante pour la postérité car il n'acquiert toute sa splendeur que lorsqu'il a atteint son complet développement. Il croît lentement et développe graduellement un tronc court, caractéristique, garni de branches érigées qui forment une cime dense, conique et élancée, comparable à un gigantesque balai. L'écorce lisse et grise ressemble à celle du hêtre; sur les vieux arbres, elle forme des taches ton sur ton, d'un curieux effet. Originaire du Caucase et du nord de l'Iran, il constitue, en mélange avec les chênes, des forêts sur les collines, exposées au nord, du massif de l'Elbrouz.

Zelkova serrata

M

Bien différent par le port de l'espèce précédente, cet arbre forme une cime arrondie avec des branches gracieusement étalées. Son écorce est lisse et grise, marquée de taches plus sombres sur les sujets âgés; ses feuilles allongées et pointues, nettement dentées, passent au bronze et au rouge-brun en automne. Il est originaire de Chine, de Corée et du Japon.

Un choix limité de feuilles d'arbres mettant en relief l'extraordinaire diversité de leurs formes :

1. Acer platanoides 'Crimson King' - 2. Quercus rubra - 3. Fagus sylvatica 'Asplenifolia' - 4. Quercus frainetto - 5. Magnolia grandiflora - 6. Acer davidii 'George Forrest' - 7. Quercus velutina 'Rubrifolia' - 8. Tilia x moltkei - 9. Castanea sativa - 10. Sorbus 'Mitchellii' - 11. Alnus glutinosa 'Imperialis' - 12. Quercus coccinea - 13. Magnolia grandiflora - 14. Acer rubrum - 15. Styrax obassia - 16. Acer capillipes - 17. Betula maximowicziana.

(voir page ci-contre)

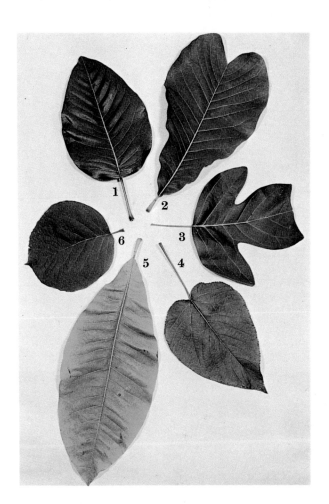

Quelques feuilles composées :

1. *Rhus glabra*
2. *Rhus trichocarpa*
3. *Acer negundo*
4. *Juglans regia 'Laciniata'*
5. *Rhus glabra*
6. *Ailanthus altissima*

Une petite sélection de feuilles laciniées ou profondément lobées :

1. *Acer platanoides 'Dissectum'*
2. *Acer cappadocicum*
3. *Acer saccharinum*
4. *Platanus x hispanica*
5. *Betula pendula 'Dalecarlica'*
6. *Tilia mongolica*
7. *Platanus orientalis*
8. *Acer macrophyllum*

CALENDRIER DE FLORAISON DES ARBRES

La fin du printemps et le début de l'été représentent la période de pointe pour la floraison des arbres. Mais, quelle que soit l'époque de l'année, il sera toujours possible de trouver au moins un arbre en fleurs, même en plein hiver.

Le calendrier ci-contre donne l'échelonnement de la floraison des arbres. Il est à noter, cependant, que certains arbres fleurissent sur deux mois consécutifs tandis que d'autres ont une floraison intermittente pouvant s'étendre sur plusieurs mois.

DÉCEMBRE
Prunus subhirtella 'Autumnalis'
Arbutus x andrachnoides

JANVIER
Prunus subhirtella 'Autumna...
Arbutus x andrachnoides
Prunus incisa 'Praecox'

FÉVRIER
Prunus incisa 'Praeco...
Prunus subhirtella '...
Salix aegyptiaca
Salix daphnoides '...
Alnus incana
Arbutus x andrachnoides
Parrotia persica
Populus tremula
Prunus incisa 'February Pink'

HIVER

AUTO...

SEPTEMBRE
Albizia julibrissin
Aralia elata
Ligustrum lucidum

Magnolia gra...
Magnolia virg...
Sophora japon...

OCTOBRE
Arbutus x andrachnoides
Arbutus unedo

NOVEMBRE
Arbutus x andrachnoides
Arbutus unedo
Prunus subhirtella 'Autumnalis'